悪夢のエレベーター

木下半太

幻冬舎文庫

悪夢のエレベーター

プロローグ……7
第一章　小川の悪夢……11
第二章　マッキーの悪夢……109
第三章　三郎の悪夢……201
エピローグ……301
解説　永江　朗……306

プロローグ

深夜。

カオルは、マンションの下に立ち、最上階を見上げた。

首が痛い。

雨は降っていなかった。天気予報では、夜から崩れると言っていた。

夜の空に敷き詰められた雲が月を隠している。いつ、降りだしてもおかしくない、どんよりとした雲だ。

マンションは、もう少しで、雲に頭がつきそうなほど、高く、そびえ立っている。

カオルは、昔、住んでいた街の赤エントツを思い出した。それは街の何よりも高く、空に向かって、ごうごうと煙を吐き続けていた。

カオルは、仲の良かった姉と、赤エントツを観に行くのが何よりの楽しみだった。幼い二人は、手をつなぎ、いつも真下から赤エントツを見上げていた。首は痛かったが、その悠々とした姿を見ていると、不思議と気持ちが落ち着いたものだ。赤エントツの煙が空に溶けていくように、カオルの中にある灰色のモヤモヤも、全部、消えてなくなるのだ。

最上階から落ちたら、どうなるだろう。


カオルは、マンションを見ながら、ふと思った。

男が、酷《ひど》く酔っ払った女を支えながら、マンションに入っていく。

女はフラフラとして、立つことさえも危うい。男の助けを、嫌がっているようにも、必要なようにも見えた。

男は、呆《あき》れた顔で、女を、真っ直ぐエレベーターへと歩かせようとしている。

「嫌よぅ、私乗らないから」

駄々をこねる女の声が、カオルの所まで聞こえてくる。

男は、女をあやしつけ、二人でエレベーターに消えた。

もう一度、最上階を見上げる。

灰色のモヤモヤは、消えなかった。

カオルは、覚悟を決めて、マンションに入った。

第一章　小川の悪夢

1

思い出した。俺は、エレベーターに乗ったんだ。

小川は、後頭部の強烈な痛みで、目を覚ました。

何？　これ？　床？　倒れてる？　何で？　確か、麻奈美からの電話で……。

「お！　気がついたで！　生きとる！　生きとる！　兄ちゃん、いけるか？」

頭の上から、ダミ声が聞こえた。小川は、声のするほうを振り返った。つまり、天井を見上げた。蛍光灯が眩《まぶ》しい。

やっぱり、エレベーターだ。なんで俺は、エレベーターの床で、寝転がっているんだ？

三人の顔が、心配そうに小川を覗《のぞ》きこんだ。三人とも見たことのない顔だ。スーツの中年……オタクっぽいメガネの男……黒い服を着た若い女……。このマンションの住人だろうか？

「良かったわ〜。死んだかと思ったで！」

スーツの中年が、ニヤニヤと笑いかけてきた。さっきのダミ声だ。ペラペラの生地でできた安物スーツから、ぽってりと中年太りの腹を覗かせている。無精ヒゲを好き放題に生やし、決して、勤勉なサラリーマンには見えない。

「あの……あなたは？」小川は恐る恐る訊《き》いた。

「ここの住人や」ヒゲ男が答える。

「こちらの二人は？」小川はヒゲ男の後ろにいる二人を見た。オタクと女……。

「このエレベーターで会ったばかり。赤の他人や」

なんてことだ。どうやら、俺は気を失っていたらしい。

小川は、無理やり体を起こして、立ち上がろうとしたが、さらに鈍い痛みがズキリと頭を襲い、思わず膝《ひざ》をついてしまった。

「おいおい！あんまり無理したらアカンで！」ヒゲ男が、小川の肩を支える。

「もう、大丈夫なんで」

小川は、ヒゲ男の手を半ば払り振うようにして、立ち上がった。

急いでいるのには理由があった。家で、妻が待っているからだ。小川も、人並みの恐妻家だったが、今夜の理由は別だ。妻の麻奈美が、妊娠九ヶ月目なのだ。結婚して三年。念願の子供だ。

麻奈美は小川と同い年の二十八歳だ。五年前、知人の結婚式で出会った。二次会のパーティが、小川の職場であるレストラン・バーで催され、酒に酔った麻奈美を、バーテンダーの小川が介抱したのがきっかけだった。最初は「迷惑な客だな」ぐらいしか思っていなかったが、次の日、謝りにきた麻奈美を見て胸がトキメキまくった。速効で食事に誘い二回目のデートで告白した。

いつもなら、レストラン・バーの仕事の後はすぐに帰宅するのだが、今日はホール・スタッフのアルバイトの送別会があった。小川は、副店長という立場上、参加しなければいけない。副店長と言っても、カウンターで生ビールを注《つ》いだり、ジンにライムを絞るだけだ。バーテンダーという仕事は肉体労働だ。立ち仕事な上、酔っ払いの接客でストレスも溜まる。酔っ払いの三人に一人は、同じ話を永遠に繰り返す。酔っ払いの接客マニュアルは二つしかない。気の済むまで喋《しゃべ》らすことと、それに耐えることだ。そういうわけで、スタッフ同士の飲み会は、ストレス発散で毎回荒れる。今日の送別会も、早く帰りたい小川の気持ちとは裏腹に、盛り上がってしまった。そして、泥酔したアルバイトを、このマンションに送りに来たところで、麻奈美から陣痛の電話があったのだ。

『順くん、やばい！　めっちゃお腹《なか》痛いねんけど！』

出産予定日よりも二週間も早い。麻奈美は、苦しさと嬉しさが入り混じった声をしていた。子供。俺たちに子供ができる。急に湧きあがってくる実感に膝がガクガクと震える。男の子か女の子か、どっちだろう？　古臭いかもしれないが、性別は生まれてから知りたいので病院の先生と麻奈美には、内緒にしてもらっている。なるべくなら息子が欲しい。息子とキャッチボール。ベタな夢だがやっぱり憧れてしまう。とにかく一刻も早く、麻奈美を病院に連れていかなければ。

小川は、１Fのボタンを押した。

１のボタンが点灯しない。

もう一度押しても点灯しない。

他の階数のボタンを押しても点灯しない。

当然、エレベーターはピクリとも動かない。

冷たい汗が、ツーと背中を流れ落ちた。

「動かへんで」ダミ声が、憐れむように言った。

小川は、ダミ声を無視して、《開》のボタンを連打したが、エレベーターのドアは固く、口を閉ざして無言のままだ。

クスクスと、女の笑い声が聞こえる。

何、笑ってんねん！　小川は、女を怒鳴りつけたい衝動を抑え、ボタンを押し続ける。

ドアの代わりに、メガネの男が初めて口を開いた。

「閉じ込められたんですよ、僕たち」

一瞬、目の前がグラリと揺れた。

「何があったんですか？」小川は、メガネの男に訊《たず》ねた。わずかに声が震える。

「さあ……」メガネの男が、まるで他人事《ひとごと》のように答えた。「突然、エレベーターが止まったんです」

「……マジで？」

「あなたが乗ってきた直後、急降下したんです」

メガネの男は、報道番組のナレーションのように淡々と喋った。筋肉質だが、痩《や》せた体。黄緑色のシャツを、ぴっちりとしたジーンズに突っ込んでいる。まるで、バッタのようだ。バッタにそっくりのオタク……。エレベーターが止まらなかったら、一生言葉を交わすことのなかった人種だろう。

「……マジで？」小川は、アホなオウムのように繰り返した。

「その時の衝撃で、あなたは壁に頭を強く打ちつけて……」バッタがナレーションを続ける。

「気絶したってわけや。すごい音がしたで～」ヒゲ男が、嬉しそうに言った。

また、青白い顔の女が、壁を見たままクスクスと笑った。よく見ると、女の左手首には包帯が巻かれていた。右手にはクマのぬいぐるみをぶらさげている。女は二十歳にも、三十歳にも見えた。黒いブラウスに、黒いスカートに、黒いポーチに、黒い靴。まるで魔女のようだ。小川は、子供の頃、気に入っていた絵本を思い出した。その絵本のストーリーは、最後に魔女がお姫様も王子様も村人もパンにして、森の動物たちに食べさせる、とんでもないものだった。両親は、なぜ、明らかに教育的にまずい本を買い与えたのだろう。

――今はそれどころじゃないって！　小川は、頭《かぶり》を振った。魔女ならエレベーターに閉じ込められるなんてことはない。

「マトリックスみたいやったな！」

ヒゲ男の問いかけに、誰も反応しない。魔女も笑うのをやめた。

そんなに俺は飛んだのか？　ワイヤーアクションほど？　どうりで、頭が割れそうなわけだ。後頭部を触ったが、血は出ていない。

「兄ちゃん、ほんまにマトリックスみたいやったで！」

どこがどのように、マトリックスだったのか、説明はできないようだ。こんなヒゲ男にかまっている暇はない。早くここから脱出しなければ。

小川は、非常用のボタンを探し、押した。ボタンの下にある説明には、《押し続けると監視センターから応答があります》と書いてある。

小川は、強く、強く、ボタンを押した。

沈黙。

応答がない場合どうすればいいのか、説明には書かれていない。

「無駄ですよ」バッタが、鼻で笑った。「あなたが気絶している間に、僕たちもさんざんやったんです」

……さんざん？

「俺、どれくらい気を失ってました？」

「二十分か三十分くらいやな。よく寝とったで」ヒゲ男がニヤリと笑い、黄色い歯を見せた。

やばい！

麻奈美が、リビングでお腹を押さえて、倒れている姿が頭に浮かんだ。

初めて出会った日、酔っ払って店の床で倒れた麻奈美の姿とダブる。真っ青な顔で、苦しそうに眉間《みけん》にシワを寄せていた。あの時は、俺が傍《そば》にいた……。早く、早く、帰ってあげないと！

小川は、必死でドアを開けようと、両手の指をドアの隙間《すきま》に潜り込ませた。ありったけの力を込めるが、ドアはビクともしない。

何か方法はないか？　小川はエレベーターの中を見回した。

《防犯カメラ設置》のステッカーが目に入る。小川は、慌てて防犯カメラを探した。

天井の隅に、黒い半球体のプラスチックケースがくっついている。

あれか？　小川は半球体に向かって、手を振った。

「エレベーターが止まってますよー！」

声まで届かないのはわかっていたが、叫ばずにはいられなかった。

「なんで敬語やねん」

魔女のツッコミに、ヒゲ男とバッタが笑った。

耳の裏がカーッと熱くなるのがわかる。なぜ、こいつらは、この非常事態にのんきに落ち着いていられるんだ？ 小川はこみ上げる怒りを、グッと飲み込んだ。まずは、麻奈美の安否だ。最悪、俺がここから出られなければ、救急車を家に呼ぶしかない。

小川は、いつも携帯電話を入れている、ズボンの左ポケットに手を伸ばした。

ない……。

他のポケットも探す。

携帯がない……。

小川は体中のポケットを、何度も何度もまさぐった。

どこにもない！

こめかみの血管が激しく脈打つ。何でないんだよ！

「どうしたん？」

「ケータイがないんです……」小川は、消えそうな声で答えた。

「落としたんか？」

落としたとすればどこに？　小川は、必死で記憶を巻き戻した。

麻奈美からの電話の後、すぐにエレベーターに駆け込んだ。てことはエレベーターの前か？　パニクッていたから、気がつかなかったのか？

「すいません！　ケータイを貸してもらえませんか？　すぐに連絡しなきゃ、やばいんです！」小川は、ヒゲ男に詰め寄った。

「兄ちゃん、悪いな。貸してあげたいねんけどな……。充電、切れてるねん」ヒゲ男が申し訳なさそうに、頭を掻《か》く。

「ちなみに、僕も持ってませんよ」バッタが言った。「コンビニに、行くだけだったんで」

後は、魔女に頼むしかない。

「あの……ケータイ」

「捨てた」魔女が唾《つば》を吐き捨てるように答えた。

「……は？」何、言ってんだ？　この女？

「捨てた。もういらんし」

小川のまわりをグルグルと世界が回った。世界と言っても、四角い箱でできた、窮屈な代物《しろもの》だが。

「てことは……」

「外部とは、一切、連絡を取ることができません。密室ってやつです」バッタが、皮肉めいた口調で言った。

小川は、足の裏から、ざわざわと不安と恐怖がせりあがってくるのを感じた。妊娠がわかった時、小川は麻奈美と抱きあって喜んだ。家族が増える。今までの人生で味わったことのない喜び。小川は、麻奈美のお腹にピタリと耳をつけ誓った。「いい父親になる。どんなことがあっても、生まれてくる君を幸せにする」と。それなのに……。

「まあ、助けがくるまで、ゆっくり待とうや。朝になったら、住人が気づくやろ」

ヒゲ男が、こっちの気も知らずに、よっこらせと床に胡坐《あぐら》をかく。

「そうとも限りませんけどね」と、バッタ。

「さすがに、誰かは気づくやろ」

「このマンションには、エレベーターが二つありますよね」

「……あるな」

「ひとつが動いている限りは、誰も気づかないんじゃないですか？」

「ありうるな。こら、えらいこっちゃ〜」ヒゲ男が、欠伸《あくび》をしながら言った。緊張感ゼロだ。

冗談じゃない！

こんな場所で、こんな奴らと、ボーッとなんかしてられるか！　もし、麻奈美と赤ン坊の身に何かあったら、俺は一生後悔してしまう。

小川は、ドアを激しく叩き、思いっきり外に向かって叫んだ。

「助けてくださーい！　エレベーターに、閉じ込められてるんです！　止まってるんです！」

魔女が、うるさそうに舌打ちしたが、気にせず叫び続ける。

「助けて！　誰か、警察を呼んでくれー！」

警察と聞いてヒゲ男が、むっとする。

「おい！　兄ちゃん！　大ゴトにすんなや！　そのうち動くがな。おとなしく座っとき」

　ヒゲ男が、自分の隣の床をパンパンと叩く。

「いつですか？　いつ動くんですか？　俺、こんなとこに閉じ込められてる場合じゃないんですよ！」

「何をさっきから、テンパッてるねん？　閉所恐怖症か？」

「違います！　妻が妊娠してるんですよ！」小川は、本当のことを告げた。

「……ほんまか？」ヒゲ男の顔から、にやけた表情が消える。

「もう生まれそうなんです。初めての子供なんです！　さっき陣痛が始まったって電話があって、慌ててこのエレベーターに乗ったんです！　俺が、病院に連れていかないと……」

　言いながら涙ぐんだ。何もできない無力感にやりきれなくなる。何としてもここから脱出してやる。

「そら、えらいこっちゃ！」やっと、ヒゲ男が立ち上がってくれた。協力を頼むなら、今だ。

「手伝ってください！」小川は腰を九十度に折り、頭を下げた。

「何を？」ヒゲ男がわざとらしく眉毛を上げた。

「ここからの脱出です」

「そりゃ、俺だって早く出たいけど……」

「無駄ですよ」バッタが、横槍を入れる。

「やってみないとわからんやろ！」小川は、思わずバッタの胸ぐらを摑《つか》んだ。

「簡単に脱出って言いますけど、具体的には何をするんですか？」バッタが、摑まれながらも言い返す。

小川は、バッタから手を離した。確かにその通りだ。この状況で何ができるのだろう。

……ひとつしかない。ありったけの声で、助けを呼ぶことだ。

「俺と一緒に、大声を出してください！」小川は、バッタにも頭を下げた。

「大声と言われても具体的に何を？」

「何だっていいじゃないですか！　助けを呼ぶんです！」

小川の迫力に、バッタが思わず怯《ひる》む。

「一緒に叫んでください!」

「お、おう……どうする?」ヒゲ男が、バッタを見る。

「近所迷惑ですよ」とバッタ。

他人は冷たい。殴ってやろうかと思ったが、堪えるしかない。一人で叫ぶより、全員で声を合わせたほうが、助かる可能性は高いのだ。

「お願いします!」小川は、土下座をした。

一度、店で、ヤクザに土下座をする店長を見たことがある。パスタがのびているだか、から揚げが冷たいだか、そんな理由でいちゃもんをつけてきたのだ。小川は、何もそこまで謝らなくてもと、心の中で店長を軽蔑《けいべつ》した。まさか、その時は、自分が赤の他人に土下座をするとは夢にも思っていなかったのだ。しかも、エレベーターで。

「兄ちゃん、土下座なんかやめろって。ほら、頭を上げて」

「助けてください!」小川は、さらに床に額をこすりつけた。

「……わかった、やるから」ヒゲ男が、渋々と承諾する。

「えー。やるんですか?」と、バッタは口を尖《とが》らす。

こいつは、ここに住みたいのか? まあ、いい。とにかく、急がなくては。麻奈美が待っている。

「ありがとうございます！」小川は、立ち上がって礼をした。

「よし、頑張ろう」ヒゲ男が、手を叩く。

「何て叫ぶんですか？」またバッタだ。

「……助けてちゃうか？」ヒゲ男が、ヒゲを撫《な》でながら言った。

「シンプル過ぎませんか？」

「他に何があるねん？」

「……じゃあ、やってみますか」

何でもいい。早く叫んでくれ。

「お願します！」俺はもう一度、二人に頭を下げた。

小川は、チラリと魔女を見た。まるで、一人で乗っているかの如《ごと》く、こっちのやりとりには全く無関心だ。

ヒゲ男が音頭を取って言った。

「よっしゃ。『助けて』でいくぞ。でかい声出せよ。いっせいのーで」

「助けてー！」

ヒゲ男とバッタは声を合わせてくれたが、魔女は耳を押さえ、迷惑そうに眉をひそめた。

「もう一回行くで！　いっせいのーで」

「助けてー！」

しばらく耳を澄ますが、何も聞こえてこない。狭い空間で大声を出したので、耳の奥がキンキンと鳴るだけだ。

「外にどれだけ聞こえてるんやろか？」ヒゲ男がエレベーターのドアを見る。

「全く聞こえていない可能性もありますよ」

バッタはもう、助けを呼ぶのをやめたそうにしている。

「助けてだけじゃ、アカンのかもな」ヒゲ男が、ため息交じりに言った。

「どういう意味ですか？」

「もし夜中に部屋におって、『助けて』だけ聞こえても、実際、助けに行くか？」

確かにそうだ。この物騒な世の中で、誰が助けに来てくれるだろうか？

「行かないかもしれないですね……」小川は、正直に答えた。

「『火事だ！』はどうやろ？」ヒゲ男が言った。

「は？」

「ふざけてるんですか？」バッタが、ヒゲ男に詰め寄る。

「ふざけてへんて！　火事のほうが、野次馬根性が刺激されるかと思って。それに、リアリティーがあるやろ？」

何のリアリティーだ、小川は聞こえないように舌打ちをする。それに、バッタの冷静さも腹ただしかった。普通、こういう状況ではもっとパニクるものではないだろうか？　少なくとも、小川が観てきたパニック映画では、登場人物が全員、その名の通りパニックに陥り、事態を余計にややこしくする。パニクらないのは、主人公と死体だけだ。

「じゃあ、次は『火事だ！』でいってみようか。いっせいのーで」

「火事だ！」三人で叫ぶ。

「もう一度！　いっせいのーで」

「火事だ！」

「次は『逃げろ！』でいくぞ！　いっせいのーで」

「逃げろ！」

叫んでいる自分たちが逃げられないのに……。小川は、泣きたくなった。

しばらく待つが、何も起こらない。

「火事でもだめか……。まだ、リアリティーが足りへんのか。『地震だ！』でいくか」

この男は、俺を助けたいのか？　それとも困らせたいのか？　小川は、わからなくなってきた。

「虎とかどうですか？」バッタが言った。

虎？　なぜ虎？　リアリティーはどこに？

「実話なんですけど、昔、アメリカの動物園で、虎が逃げだしたんです。街中が大パニックになって、警察やら飼育係が必死で探したんですけど、虎は見つからない」

バッタが、ニヤリと笑った。生理的に受け付けない笑顔だ。

「結局、虎は、どこで見つかったと思います？」

「肉屋！　お腹が減っていたから！」ヒゲ男が、クイズの解答者の如く、素早く答える。

「ブー！」バッタが口を尖らして首を振る。

「散髪屋！　虎刈り！」

「ブー！」

　完全にクイズ番組だ。

「どこだと思います？」バッタが、司会者ぶって小川に訊いた。

「わかりません！　早く教えてください！」小川は、怒りをあらわにした。

「とあるビルの、エレベーターです。虎は、なんと、エレベーターでくつろいでいたんです。ずっと檻《おり》の中で育てられた虎にとって、狭い空間が一番落ち着く場所だったんですよ」

　何の話をしてるんだ、こいつは？

「なるほど……性《さが》ってやつか」ヒゲ男が、妙に納得する。

「性ってやつです」バッタが、勝ち誇った顔で頷《うなず》く。

「虎がおったら、びっくりするやろな」

「でしょ？」バッタが嬉しそうに言った。

「よし。次は『虎だ！』でいこう！」ヒゲ男が威勢よく両手を鳴らす。

「ちょっと、待ってくださいよ！」

　茶番はもうたくさんだ。小川は、二人を止めた。間違いない、こいつら、人の不幸を楽しんでやがる。

「真面目にやってもらえませんか」自分でも驚くほど鼻息が荒い。怒りで爆発しそうだ。

「大真面目にやってるって」ヒゲ男が、むっとして言った。

「虎がいるわけないでしょ！」

「でも実話ですよ。リアリティーがあります」バッタが引き下がらない。

「兄ちゃん、諦《あきら》めたらアカン」ヒゲ男が変な応援をしてくる。

「諦めてないですって！　でも、虎がこんなところにいる可能性は限りなく低いでしょ！」

「わずかの可能性にかけてみようや。俺たちで奇跡を起こそうぜ」

「え？　言ってることおかしくないですか？」

「じゃあいくで。いっせいのーで！」

「人の話を聞いてます？」

「虎だ！」

二人だけが叫び、小川は声を出さなかった。

「おい、何で黙ってるねん」ヒゲ男が、小川を睨《にら》みつける。

小川はカチンときて、言い返した。

「誰も部屋から出てきませんよ！　虎ですよ？」

「それは結果論やろ。君のために協力してやってんのに！」

「それなら、もっとちゃんと助けを呼んでください！」

「ちゃんとって、なんやねん？　じゃあ、お前も考えてみろや！　他にどんな動物がおるねん！」

かっとなったヒゲ男が、小川の肩を摑んだ。目が血走っている。「うるさいうるさいうるさいうるさいうるさいうるさいうるさい」

「うるさい」突然、魔女がキレた。

魔女は狂ったように、エレベーターの壁を蹴《け》りだし、ぬいぐるみを振り回して、壁に叩きつけた。

魔女のキレっぷりに、小川は凍ったように固まった。バッタもヒゲ男も、体をのけぞらせている。ぬいぐるみがバッタの顔面を直撃して、メガネが弾《はじ》け跳んだ。

「何すんの！」バッタがオカマみたいな悲鳴を上げてメガネを拾う。

「大丈夫?」ヒゲ男が、恐る恐る魔女に声をかけた。

「うるさい」魔女は、肩で息をしながら言った。

お前が、一番うるさいだろ。

小川は、自分の不運さに、天を見上げる。すぐ目の前に、天井があった。息が詰まるとはこのことだ。「……誰も助けに来てくれませんね」

気分を落ち着かせるために、大きく息を吸いこみ、目を閉じた。

『順くん、やばい! めっちゃお腹痛いねんけど!』

麻奈美の声が、まだ耳に残っている。

「こんな時間ですからね……きっと、みんな寝ているんですよ」バッタが、小川を慰めるように言った。

こんな時間? 今、何時だ?

小川は、ハッとして腕時計を見た。……ない。腕時計がない。腕しかない!

「今、何時ですか?」小川の質問に、誰も返事をしない。

「もしかして……誰も時計持ってないんですか?」

三人が、申し訳なさそうに頷く。

額の血管がブチッと切れた。

「何で持ってないんですか！」

「自分も持ってないくせに」魔女が、ぼそりと言い返す。

「俺は、いつも腕時計をしてるんです！　今日はたまたま……」

「その時計とやらは、どこにいったんですか？」呆れた声で、バッタが言った。

「たぶん……忘れてきたと……」

「どこに？」

「どこだろう……」

本当にどこで外したのか、小川は覚えていなかった。もしかすると、二次会のカラオケかもしれない。携帯電話もない。時間もわからない。気が狂いそうだ。

「まあ、とにかく待つしかないやろ」

ヒゲ男が、小川の肩を叩いた。その拍子に小川は、膝の力が抜けて床にへたりこんだ。

ダメだ……。どうすることもできない。神様……お願いします神様……。僕はどうなってもかまいませんから、麻奈美と赤ン坊だけは助けてください。

『出産には、絶対に立ち会ってね。一人にしたら嫌やで』

『一人ではないやろ。お医者さんもいるし。生まれてくる子供もいるやん』

『屁理屈はやめて。どれだけ仕事が忙しくても、何があっても、私のとこに駆けつけて』

『わかった。指きりしよ。約束破ったら、針千本飲むよ』

『一本でいい。その代わり、ほんまに飲んでもらうから』

小川は、麻奈美との約束を思い出していた。一ヶ月ほど前の、ある夜。仕事から帰ってきたら、麻奈美がリビングのテーブルで、一人泣いていた。その時、二人で約束したのだ。

2

十五分経《た》ったのか、三十分経ったのか、もしかして、まだ五分しか経ってないのか。時間の感覚が全くわからない。全員、疲れ果てた顔で床に座っている。

「映画やったら、天井に、出入り口があったりするねんけどな」ヒゲ男がぼやく。

「俺がトム・クルーズやったらなあ……見事に脱出してやるねんけどな。もしくはジャッキー・チェンやったらなぁ」

ひどく、喉《のど》が渇く。エレベーターは蒸し暑く、気のせいか、空気も薄くなっているように感じる。

「昔の映画で、何かそんなのあったなー。殺人を犯した男が、エレベーターに閉じ込められる話。何てタイトルやったけなー。確か、マイルス・デイビスがサントラを手がけてんけど……。アカン。ど忘れしたわ」

ヒゲ男の独り言が、ますます空気を重くする。沈黙恐怖症なのだろうか。

「兄ちゃん、大丈夫やって。元気な赤ちゃんが生まれるって。だって、原始時代を考えてみろよ。病院とか、何の設備がなくても、ポンポン赤ン坊は生まれてるやろ？」

ヒゲ男は、独り言に飽きたのか、顔面蒼白で落ち込む小川を励ました。

小川は、ヒゲ男の言葉が、単なる慰めとわかっていたが、少し嬉しかった。そして、ここから先は、黙ってくれれば、もっと嬉しいとも思った。

「でも、その時代は、出産で母親が死ぬことも多かったでしょうね」バッタが、深刻そうに言った。心配しているのか、ただの無神経なのか、小川には、もう怒る元気も残されていなかった。

「名前はもう決まってるのか？」話を逸《そ》らすかのように、ヒゲ男が質問する。

「いや、まだ……予定日よりもだいぶ早くて……」

「男やったら、元太。女やったら明子でどうや？」

どうや？　って言われても……。もし、今、金を払えば目の前のドアが開くのなら、預金を全部下ろしてもいい、小川は本気でそう思った。

「何で、その名前なんですか？」

「元気に明るく、育ってくれそうやろ？　な？」ヒゲ男が、バッタに同意を求める。

「そうですね……」バッタは明らかに興味がなさそうだ。

「お姉ちゃんも考えてあげて。何かええ名前ある？」

魔女が即答する。「三郎」

なぜ？　三？　初めての子供だと言ったのを聞いてなかったのか？　ましてや、子供の名前を、赤の他人に決められたくはない。麻奈美と、あれだけ、いろいろ考えたのだから。

小川は、麻奈美との会話を思い出した。

リビングのテーブルに二人で座り、温かいミルクティーを飲みながら、夜遅くまで子供のことを語りあった。

『もし、女の子やったら、陽子がいいな』

『なんで？』

『私が憧れてた名前。子が付く名前が良かったの』

『陽子って、地味じゃない？』

『そうかな〜。いい名前だと思うけど』

『俺は、陽子はちょっと嫌やな』

『そう？　まぁ、まだ女の子と決まったわけじゃないしね』

麻奈美は、ティーカップに視線を落とし、なぜか寂しそうな顔をした。

「自己紹介でもするか」ヒゲ男が、立ち上がって言った。「ここで会ったのも、何かの縁やろ」

ヒゲ男の唐突な提案に、バッタと魔女が迷惑そうに、顔を見合わせる。

「自己紹介しようや。このお兄ちゃんのためにも」

ヒゲ男が、小川の頭に手を置いた。初対面なのにボディ・タッチの多い男だ。

「別に……しなくてもいいですよ。何の意味があるんですか？」と小川は言った。

「少しでも気が紛れるやろ」

「やりましょうよ。自己紹介」バッタも、小川の腕を摑んできた。

余計イラつく、と言いたかったが、勝手にヒゲ男が、自己紹介を始めてしまった。

「富永悦太郎。三十七歳。独身。バツイチ。このマンションの703に住んでます」

「部屋の番号まで言わなくてもいいじゃないですか？」バッタが抗議する。

「すまん。それは個人の自由で。言いたくなければ、言わなくてもええんちゃう？」

この富永という男にも、腹が立ってきた。バツイチとは言え、この男と結婚した女の顔が見てみたいものだと小川は思った。

富永が、自己紹介を続ける。

「好きな食べ物は、鯖《さば》とエクレア。嫌いな食べ物は、キュウリ。好きな言葉は、《整理整頓》。将来の夢は、沖縄か北海道に住むこと」

こんな時に、他人の夢なんか聞きたくない。小川は耳を塞《ふさ》ぎたくなった。

「何か、質問ある人？」

富永が、全員の顔を見回す。

「どんどん、質問してや！」

「お仕事は、何をしてるんですか？」面倒くさそうに、バッタが訊く。

「不動産関係」富永が、曖昧《あいまい》に答える。

こいつもか。小川は、ため息をついた。仕事柄、株やら土地やらで、儲け話に花を咲かせる輩《やから》をたくさん見てきた。酒の飲み方で、その男の仕事のレベルがわかる。半端な仕事の男は、卑《いや》しい飲み方しかできない。富永からは、そういう連中と同じ匂いが感じ取れた。

小川は、もう一度、富永を観察した。おせっかい焼きで、やたら場を仕切りたがるが、決してリーダーには向いていない。どこの学校にも、会社にも、こういう人物が、一人はいるものだ。そして、例外なく、まわりから煙たがられている。

「他に質問は？」富永が、じっと小川を見つめる。

「じゃあ……趣味は？」小川は仕方なしに、質問をした。

「将棋。得意な戦法は、居飛車穴熊。伝説の将棋ギャンブラー、小池重明《じゅうめい》に憧れてるねん。小池重明のこと知ってる？」富永は、早口に意気揚々と語る。「プロより強いアマチュアで、新宿の殺し屋って呼ばれててん。あの大山名人にも勝ったんやで！　すごくない？」

知らないって。

全員、何のリアクションも取れない。

「誰も将棋はやらないのか……」富永が、寂しそうに、苦笑いをした。

小川は、無性に麻奈美の顔が見たくなった。麻奈美は、笑うと、両頰に大きなえくぼができる。本人は嫌がっていたが、小川は、そのえくぼが好きだった。

小川は、また、麻奈美との会話を思い出した。

麻奈美は、おかわりのミルクティーを注ぎながら言った。

『私たちの子供にも、できるのかな？』

『何が？』

『えくぼ』

『いいやん。ぜひできて欲しいわ。女の子やったら、特に。俺、えくぼの女の子がタイプやもん』

『私は嫌！　かわいそうやもん！』

麻奈美がブスッと頬をふくらませた。決して、本気で怒っていない時に、よくやる顔だ。小川は、コロコロと少女のように表情が変わる麻奈美が好きだった。

「牧原静夫と言います。二十四歳です。このマンションの住人です」

いつの間にか、バッタが自己紹介を始めていた。

「好きな食べ物と、嫌いな食べ物は？」富永が質問する。

「好きな食べ物は、ラーメン。嫌いな食べ物は、納豆です」

「納豆、食べられへんの？」

「はい」

「かわいそうに！　あんなにおいしいもの！　お前、納豆の一番うまい食べ方知ってるか？」富永のおせっかいが、また始まった。「アジのタタキとネギを納豆に混ぜるねん。いっぺん試してみて」

「無理です」牧原が即答する。

「わかった。小さい頃から、食卓に並ばなかったんだな」

「いいえ、並びましたけど。家族で僕だけが食べなかったんです」

「食べてみろって！　絶対おいしいから」

「嫌です」

この牧原という男は、ただ馬鹿正直なだけなのかもしれない。他人に意見を合わせることができず、孤立していくタイプだ。恐らく恋人もいないだろう。勝手な推理だが間違いない。

小川の目には、牧原が演技をしているように見えた。牧原の言動は下手な演劇部の劇を見ているようだ。理由はわかっている。このタイプは、頑《かたく》なに強がるのが特徴だ。自分は孤独じゃないと演じるのだ。それに、見れば見るほどバッタに似ている。だいぶ、この容姿で損をしているだろうな。小川は、少し同情した。

「仕事は、何やってんの？」富永が、しつこく牧原に質問を続ける。

少し間を開けて、牧原は、ふてぶてしく答えた。「今は何も」

「ニート、てやつか？」

「ですね」

だからなんですか？　牧原の顔は、そう言いたげだ。

「いい年して、何やってるねん。若いねんから、いくらでも働き口はあるやろ！」富永が嚙《か》み付くように罵《ののし》った。

「関係ないじゃないですか」

「家賃はどうしてるねん？」

「親と住んでるんです」

「スネかじりか。情けないの〜。二十四にもなって」

「放っといてくださいよ。僕の人生じゃないですか」牧原が、吐き捨てるように言った。

「何で働きたくないねん？」

「別に」

「話してみろよ。相談に乗ってやるから」

「理由なんてないですよ。ただ、人間関係が面倒くさいだけです」

「対人恐怖症か？」

「違いますよ！　現に今こうやって、普通に話してるじゃないですか！」牧原がキレた。

「牧原君……。いや、静夫。人間、やれば何でもできるねんぞ」富永が、牧原をなだめるように言った。

いきなり、名前を呼び捨て。うざい。何なんだ、この男は。

「もういいです。次の人どうぞ」牧原が、自己紹介を終えて、腰を下ろす。

「次は、お兄ちゃんがいこうか」富永が、小川を指名した。

小川は、魔女のほうを見たが、三角座りでうつむいたまま、こっちを見ようともしない。

いつまで、この余興に付き合わなければいけないのか？

「早く！」富永が、小川を急かす。

麻奈美を、こんな時間まで一人にした罰なのだろうか……。

小川は、渋々立ち上がり、自己紹介を始めた。

「小川順です……」

富永が、矢継ぎ早に、質問を浴びせてきた。「何歳？」

「二十八歳です」

「好きな食べ物と、嫌いな食べ物は？」富永が、牧原の時と同じ質問をする。

何か意味でもあるのだろうか？　小川は、適当に答えることに決めた。下手に答えて長引かせたくない。こんな、茶番を早く終わらせたかった。

「好きな食べ物は特になし。嫌いな食べ物も特になし」

「そんなことないやろ」富永が、つまらなさそうに言った。

「あんまり、食に興味がないんで……」

「ふーん」

「質問してもいいですか？」牧原が手を挙げた。牧原の目がキラキラと輝いている。

何で、楽しんでるんだよ！　小川は、げんなりした。

「お仕事は？」

「バーテンです」

「おー！　かっこいい！　シェイカー振れるんですか？」

「まあ……普通に」

アホかこいつは。小川は、心の中で毒づいた。シェイカーを振れないバーテンなんて、バントのできない二番バッターと同じだ。そこにいても、邪魔なだけだ。

さらに、牧原の意味のない質問が続く。

「身長はいくつですか？」

「一八五です」

「結構、ガッチリしてますけど、昔、スポーツか何かやってたんですか？」

「サッカーを……」

「へーえ！　すごいじゃないですか！　ポジションはどこですか？」

「キーパーです」

「かっこいい！　カーンと一緒じゃないですか！」

富永が、咳払いをして、牧原を止める。

「小川君も、このマンションに住んでるのか？」

「いえ……ここは、同じ店のバイトの子が、住んでいて……」

「遊びに来たんか？　嫁さんが腹ボテやのに？」

「違いますよ！　今日、送別会があって、その子がベロベロに酔っ払ったんで、送ってきたんですよ！」小川は、早口で答えた。

「わざわざ？」

「飲んでなくて、車を持ってるのが、俺だけだったし……一応、副店長なんで、責任もあって」

「なるほどな。いろいろ大変やな」

「で、好きな食べ物は？」

「そりゃ、もちろん、奥さんの手料理でしょ」牧原が、口を挟む。

「はあ、そうですね……」

小川は、麻奈美の十八番《おはこ》のチキンカレーを思い出した。いつも大量に作るので、三日連続でカレーになる時もある。妊娠してから、食卓のメニューにカレーの回数が増えた。一度に仕込んでしまえば、楽だからだろう。凝り性の麻奈美はカレーにいろんな具を入れてくれる。小川は、その中でもナスとオクラのカレーが気に入っていた。

結婚前、麻奈美が初めて小川の部屋に泊まりに来た時もカレーを作ってくれた。大げさに料理に感動する小川に、『やめてよ』と麻奈美は照れながらも、嬉しそうに笑った。それから、麻奈美の得意料理はカレーになった。

「やっぱり、奥さんのことを愛してるんや」

小川の胸に、富永の言葉が、重く響いた。

当たり前の日常の中で、気づかないことはたくさんある。もちろん、愛しているからこそ結婚した。だが、普段の生活の中で、麻奈美のことを愛していると確認してこなかった。

愛してる人が、すぐ隣でカレーを作ってくれたり、笑ってくれたりしてくれる。そのこと自体が奇跡なんだ。このエレベーターに閉じ込められて、小川は、そのことに初めて気がついた。

「もちろん、愛してます」小川は小さくため息をつき、腰を下ろした。

「最後は、お姉ちゃんの番やで」富永が、魔女に声をかける。

魔女は依然、三角座りで、うつむいたままだ。

「お姉ちゃん！」富永の呼びかけを、完全に無視している。

「無理にやらせなくてもいいんじゃないですか」牧原が言った。

「アカンよ、俺たちは、運命共同体やねんから！　協力しあって、このピンチを乗り切らんと！　なあ、小川君？」

「そうですけど……」

富永は、さっきより強い口調で、魔女に呼びかけた。「お姉ちゃん！　名前は？」

「カオル」魔女が、膝の間から顔を上げ、ボソリと呟《つぶや》いた。

「何歳？」富永は、嬉しそうに質問を続ける。

魔女……カオルは、観念したかのように、ため息をついて答えはじめた。

「二十一」

「仕事は？」

「学生」

「大学生か？」

「専門」

「何の専門学校？」

「簿記」

「カオルちゃんも、このマンションに住んでるの？」

「違う」

「彼氏が住んでるとか？」

「違う」

「友達？」

「違う」

富永は、小川と牧原を見て、苦笑いをした。

「……じゃあ、このマンションに、何しに来たわけ？」

「自殺」

「え……」富永が、絶句する。

「このマンションが、ここら辺で一番高いから」

エレベーターの中の空気が、凍りついた。

「ははは」富永が、引きつった顔で笑う。「またまた〜、冗談やろ？」

カオルは、包帯が巻かれている左手を、富永に見せた。

「こっちが失敗したから」カオルは、ぞっとするくらい無表情に言った。

「飛び降りる気か？」

カオルが、こくりと頷く。

「何で自殺なんか……」

「また人生相談？」カオルは、冷たい目で、富永を見て言った。「やめたほうがええんちゃう？　何を言われても、ウチは飛び降りるし。あの時、何で説得できなかったって、ずっと後悔するで」

一瞬、富永が怯むが、懲りずに続ける。

「とにかく、自殺なんかやめろって！　死んでも、何もならんやろ！」

「生きてても、何もならんし」

「このエレベーターが止まったのも何かの運命や！」

「ただの故障やし」

「神様が、まだ死んだらアカンって、言ってるんやって！」

「神様がおるんやったら、今までのウチの人生を、なんとかして欲しかったわ」

「……本気じゃないやろ？」

　富永の言葉に、カオルは、黒いポーチからMDレコーダーを取り出した。

　カオルが再生のスイッチを押す。MD本体に内蔵されているスピーカーから、声が聞こえた。カオル自身の声だ。

『中学時代の三年間、私を苛《いじ》めた奴ら、無視した奴ら、何もしてくれなかった担任へ。私は、あの世でも、ずっとお前らのことを恨み、呪《のろ》い続けてやる。私は自分で死ぬんじゃない。お前らに殺されたんだ。この六年間、私という人間がいたことを、忘れていた奴もいるだろう。けど、この声は、お前らの耳に一生へばりついて離れないよ。ざまあみろ』

声の遺書だ。録音された声は、嬉しそうに語っている。やっと、復讐ができる、と。

カオルが、MDレコーダーを止めた。しんと静まり返る。

「……お前らも、ボーッとしてないで説得しろや！」富永が、我に返り、小川と牧原に怒鳴った。

災難は続く。ただでさえ、こっちは閉じ込められて、テンパッているのに、自殺の説得とは……。小川は、なるべく、カオルの神経を逆撫でしないよう、優しく声をかけた。

「君の気持ちもわかるけど……」

「はい、あなた、今嘘言った」カオルが、小川の言葉を一瞬で遮《さえぎ》る。丸めた新聞紙で叩かれたハエの気分だ。

「私の気持ちなんてわかるわけないやん。今日会ったばっかりやで」

その通りだ。小川はもう、何も言えなくなった。

「あの……僕……わかるんですけど」牧原が、言いにくそうに切り出した。

「何がわかるん？」

「あなたの、心の中が……」

「は？　何言ってんの？　あんた、キモイって」

「僕、心がわかるんです。……て言うか、見えるんです」

彼なりの説得なのだろうか？　牧原には悪いが、説得の才能があるように思えない。もし、牧原が交渉人で、拳銃を持った立てこもり犯を説得したら、犯人は、まずドアを開けて牧原を撃つだろう。小川はハラハラしながら見守った。

「心を見ることができるんです」

「だから、キモイって」

「人の心の中が、映像で見えるんです」

「キモイって！」

「おい！　静夫！　そういう宗教チックな説得は逆効果や！」富永が、叫ぶ。

「昔から、超能力みたいなものが、あるんです……。僕も、よくわからないんですけど」

全員、ポカンと口を開けた。

「……信じてもらえないですよね」

「超能力？」

「ですね」

「スプーン曲げたり？」富永が、間の抜けた質問をする。

「曲げろと言われれば、曲げます」牧原は、ジーンズのポケットから、スプーンを取り出した。

「何で、持ち歩いてるねん」富永がスプーンにツッコミを入れる。

「いつでも証明できるようにです。超能力があるって言ったら、変な目で見られるんで」

余計に、変な目で見られることに本人は気づいていない。

「じゃあ、曲げますね」

牧原は、いとも簡単に、クニャッとスプーンを曲げた。「どうですか？」

どうリアクションしていいのかわからない。すごいか、すごくないかと言われれば、決してすごくはない。

「……他に何かできないのか？」富永が、スプーンには全く触れず、質問した。

「後は、人の心が読めます」

「読心術みたいなものか？」富永が、興味津々で、牧原に聞いた。

「そんな感じです」牧原が、照れながら言った。「試してみます？」

「だから、キモイって」

カオルは、さっきから、キモイしか言っていない。

「ちょっと、触っていいですか？」牧原が、カオルに近づく。

「はあ？　ありえへん。キモ過ぎるって！」狭い中、カオルが逃げる。エレベーターが、ぐらぐらと揺れた。

「でも、その人の体の一部に触れないと、見えないんです」

「一部ってどこよ！　アホか！」

ようやく、キモイ、以外の言葉が出た。

「大丈夫。痛くないから」牧原が、さらにカオルを追う。

「来るな！　ボケ！」カオルがぬいぐるみを全力投球で、牧原に投げつける。

「しょうがないだろ！　そういう能力なんだから！」牧原もキレ返す。

「ほんまに、キモイわ」

また戻った。

「あのな……」

「はい、キモイ」

「お前な！」

「キモイ」

まるで、子供の喧嘩だ。牧原は涙ぐんでいる。

「まあまあ。二人ともやめろ」富永が、二人の間に割って入った。

「絶対、嘘に決まってるやん！」カオルの勢いは止まらない。

「お前に、超能力者の気持ちがわかるか⁉」牧原の勢いも止まらない。

「わかるわけないやろ！」

「力を持つ者の苦悩がわかるか？　友達や家族からも、気味悪がられ、変人扱いを受けてきたんだ！　僕だって、死のうと思ったことがある！」

「だから？」

「君も死ぬな」

「キモ過ぎる」

牧原は、とうとう泣き出した。

「証明させてください！」

「証明って？」

「富永さんか、小川さんのどちらでもいいんで、体を触らせてください！」

「どうする？」富永が、小川を見た。

「俺は嫌です」小川は正直に答えた。

「俺も嫌や」富永も正直に答えた。

「お願いします！　この女をギャフンと言わせたいんです！」牧原が、深々と頭を下げた。

自殺を止めるんじゃなかったのか。小川は、呆れた顔で牧原を見た。

カオルが、舌打ちをする。

「よっしゃ。ここは、俺たちが、実験体になったろやないか」

「え……」俺もかよ？

「このままやったら、あまりにも、静夫がかわいそうやろ。さっき助けを呼ぶのを、手伝ってもらってんから、協力してあげな」

富永が、小川の前に、右手を差し出した。

「最初はグー、な」

「どこを触るの？」

「どこでもいいんですけど……どこがいいですか」

「どこを触ってもいいよ」

「じゃあ、手を握ってもいいですか」

3

男同士で、何の会話だ。

牧原が、両手で小川の右手を包み込むように握ってきた。牧原の手は、温かくて、ヌルリとしていて、はっきり言って気持ち悪い。

牧原が、目を閉じて眉間に力を入れる。距離が近いので、牧原の鼻息までが聞こえる。

小川は、また泣き出したい気分になっていた。握られているのが、麻奈美の手ならば、どれだけいいだろう。

「《えくぼ》が見えます」牧原が言った。

小川は、驚きのあまり言葉を失った。

「何それ?」カオルが、鼻で笑う。

「何か心当たりある?」富永が、小川に訊ねる。

「妻の両頰にえくぼが……」小川は、搾り出すような声で言った。

「……ホンマかいな」富永が、息を呑む。

「良かった……当たってますよね」牧原が、ほっとしながら、言った。

「偶然に決まってるやん! えくぼが何よ!」カオルが、ムキになって言った。「他には何が見えるのよ!」

偶然だとしても気味が悪い。何か、大切なものを汚された気分だ。

小川は、牧原を見た。

牧原が、目を閉じたまま、さらに眉間に力を入れる。

「カレーが見えます。これは……チキンですね」

「嘘やろ……」

自分でも、声が震えているのがわかる。

「チキンカレー、食うたんか?」

富永の質問に、小川は、固まったまま、すぐに答えることができない。

「最近、食うたんか?」富永が、小川の肩を揺する。

「この一週間で……三回」

小川のやっとの返事に、富永とカオルが顔を見合わせる。

「私だって、カレーぐらい、しょっちゅう食べてるって!」カオルが、声を荒らげる。

「珍しいですね。オクラが入ってるんですか?」牧原が、続けて言った。

本物だ。本物の超能力だ。小川は、宇宙人を見るような目で、牧原を見た。

「カレーにオクラは入れへんやろ」富永が突っ込む。

「妻のカレーには……入ってるんです」

富永とカオルは、釣り上げられた魚のように、口をパクつかせた。

「信じられへんな……」

「ありえない……」

「……おいしいんか?」

「意外と合うんです」

カオルの驚きに、気を良くしたのか、牧原がさらに小川の心を読んだ。

「あと、《陽子》という文字が見えます」

小川の心臓が激しく波打った。

陽子は、このマンションに住んでいる。送別会で泥酔したアルバイトだ。

「嫁さんの名前か？」

小川は、なるべく、平静を装い答えた。「違います。生まれてくる娘の名前です」

小川は嘘をついた。

陽子との不倫を、知られたくないからだ。

小川は動揺を悟られぬよう、牧原から手を離した。

陽子と付き合って、一年半になる。二十三歳のカメラマン志望。たまにカメラマンのアシスタントをしている。カメラでは食っていけず、小川の店にホールのバイトで入ってきた。最初は軽い気持ちで、小川が口説《くど》いた。陽子には、麻奈美とは違う魅力があった。明朗快活な麻奈美に比べると、おとなしかったが、静かに話を聞いてくれる優しさがあった。麻奈美にはない包容力を、陽子に感じていた。長い黒髪や、白い背中、笑う時細くなる目も、好きだった。でも、子供ができたと知ってから、陽子の態度は変わった。このタイミングで店を辞めるのも、今日の送別会で荒れたのも、完全に当てつけだろう。

「ほんまにおるんやな……超能力者って。テレビとか出たらええのに」

「どうせ、やらせだと思われますよ」バッタがため息交じりに言った。

「絶対、嘘や！　ウチの心も見てみろよ！」

あれだけ嫌がっていたのに、カオルは、牧原の前に手を差し出した。半分信じている証拠だ。

牧原は、勝ち誇った顔で、カオルの手を握る。

「早く！」カオルは、明らかに緊張している。

牧原が、眉間にしわを寄せて言った。「ゴミ捨て場が見えます」

カオルが硬直する。

「そのクマのぬいぐるみ、ゴミ捨て場で拾いましたね」

カオルが強引に、牧原から手を離す。その顔は、恐怖で引きつっている。

「なんでわかるのよ！」

小川は、背筋が寒くなるのを感じた。

「そうなんか？　また当たってるのか！」

富永も、口から泡を飛ばして興奮している。

「このマンションに来る前に、公園で、ボーッとしとってん。どこで死のうかって考えてて。その公園の、ゴミ捨て場に、この子がおって……かわいそうやから、拾ってあげてん」

カオルが、エレベーターの床に落ちているぬいぐるみを拾い上げて、ぎゅっと抱きしめた。さっき、思いっきり、壁に叩きつけたことは忘れたらしい。

「ウチが、この子を拾うのを、たまたま見たんやろ？　そうに決まってるわ！」

カオルは、認めたくないのだろう。誰だって、自分の心の中を覗かれるのは嫌だ。

「まだ信じてくれないんですか？」牧原が言った。しかし、その顔には余裕が滲《にじ》み出ている。

「この人も見てよ！」カオルが、富永を指す。「この人の心も、見えたら信じるわ」

「俺は遠慮するわ」富永が引きつった顔で拒否した。

「自分だけずるいで！」

「何がずるいねん！　人のプライバシーやろ」

「アカン！」

カオルが、何か光る物を、黒いポーチから取り出した。

カッターナイフだ。

刃に、乾いた血がこびりついている。あれで、自分の手首を切ったのだろうか？

「ちょっと！」牧原が、壁にへばりつく。

カオルが、両手でカッターナイフをかまえ、富永に、にじり寄る。

小川は、全身の毛穴が開いた気がした。この狭い空間で振り回されたら、確実にこっちも無事では済まない。

「刺すで」

カオルは間違いなく本気だろう。十五階から飛び降りることを考えれば、サクッと人を刺すことは、いとも容易《たやす》く思えた。

「わ、わ、わかった！　俺が、悪かった。見てもらうから、そ、それ、カバンに戻そ、な？」

富永が、へっぴり腰で、カオルをなだめる。

「早く！」カオルが、ポーチにカッターナイフを戻す。

「はい！」バネ仕掛けの人形のように、富永は、牧原に手を差し出した。

「牢屋が見えるんですけど」牧原は、富永の手を握りながら言った。「もしかして……」

「そうや。俺は昔、捕まってたことがあるねん」富永が、諦めた顔で言った。「すごいな、ほんまに見えるんや」

「マジ？　犯罪者？」カオルが言った。

ついさっき、自分がナイフで人を脅してたことは忘れたらしい。

「せめて、前科者と言ってくれや」

「何の罪で捕まったん？」

「何でもええやろ」

「空き巣です」代わりに、牧原が答えた。

「おい！　言うなよ！」

「だって、見えるんですもん。ベランダの柵を乗り越えて、犬に吠えられている姿が……」

「捕まった時のやつやな」

「ドーベルマンですか」牧原が、目を閉じながら言った。

「まさか、団地のベランダにおるとは思わんやろ。八針縫ったわ」富永が、スーツの右手をまくりあげて、傷を見せた。痛々しく、犬に噛まれたあとが残っている。

「もしかして、このマンションに盗みに入ったのと違うの？」カオルが、疑いの眼差《まなざ》しを富永に向ける。

「今は健全な一般市民やって！　ほら、この格好が空き巣に見えるか？」富永は自分が着ているスーツを、これみよがしにカオルに見せる。

嘘だ。小川は直感でわかった。「疑われないためのスーツじゃないんですか？」

富永が、小川の質問にびくりと振り返る。間違いない。富永は嘘をついている。

「お、小川君まで何言ってるねん？」

「不動産関係って、具体的にどんな仕事ですか？」

「いや……あのな、簡単に言うと土地ころがしみたいなもんや」

「名刺を見せてくださいよ」

「名刺か……名刺は車に置いてきてるから」

富永の目が泳ぎ始めた。もう一押しだ。

「このマンションに住んでるんですよね？」

「そうや、703や」

「鍵を見せてください」

「え……」富永が言葉を詰まらせた。どうやら、痛いとこを突かれたようだ。

「……あるに決まってるやん。鍵がなかったら、一階のオートロックを開けられへんやろ」

「壊れてたで。だからウチも、マンションに入ってこれてんけど」

「最近よく開けっぱなしになってるんですよね。オートロックの意味がない」

カオルと牧原が、止《とど》めを刺した。

「そうや！　俺はまだ現役や！」

富永が、完全に開き直り、逆ギレを始めた。

「警察に突き出せるもんやったら突き出してみろや！　まだ、どこにも盗みに入ってないから、何の罪にも問われへんけどな！」

富永はどうやって隠し持っていたのか、ズボンの中から、長さ三十センチほどのモンキーレンチを取り出して、振り回した。空き巣の道具だろうか？

モンキーレンチの先が牧原のメガネにひっかかり、メガネが壁にすっ飛んで割れた。

「きゃあー！　これ高かったのにー！」牧原が、オカマのような悲鳴を上げる。

人生最悪の夜だ。小川は、自分を嘆いた。浮気相手のマンションのエレベーターに、自殺願望の女と超能力者と空き巣と閉じ込められるなんて。しかも、そのうちの二人は凶器を持っている。

まさしく天罰だ。

その時、小川の目の前が暗くなった。たとえで言ってるのではなく、本当に真っ暗になったのだ。

4

「停電や！」すぐ隣で、富永の声が聞こえた。

「おい！　おい！　どうなってんねん！」小川は、思わず声を荒らげた。どうやら、天罰はまだ終わってないらしい。

全く何も見えない。自分の息づかいと心臓の音がやけに大きく聞こえる。

痛い！　誰かに右足のつま先を、思い切り踏まれた。尋常じゃない痛みが、全身を駆け抜ける。いい加減にしてくれ！　発狂しそうだ！

「何よーもうー！　さっさと死なせてやー！」カオルもいらついた声をあげる。

「メガネ！　メガネ！」牧原の声が、下のほうから聞こえる。床に落ちたメガネを探しているのだろう。

小川は闇の中、手探りでドアを探した。

「助けてくれー！」小川は力の限りドアを殴り、外に向かって叫んだ。

「落ち着け！　とりあえず落ち着け！」富永が小川の首を摑んできた。爪が皮膚に食い込む。

「触るなって！」小川は、体を捻《ひね》り、富永の手を払いのけようとする。

バチン！　と大きな音が響く。距離感がわからず、富永の顔を殴ってしまったのだ。

「痛いやんけ！　コラ！」富永が凄《すご》んで、小川に体当たりをする。小川はその衝撃で、体ごとドアに叩きつけられた。後頭部をしこたまドアに打ちつけ、目から火花が出る。

「何の音？」

「え？　何？　どうしたん？」

牧原とカオルが何事かと声をあげる。

「おとなしくしろや！」

鉄の冷たい感触が、小川の喉元を襲う。富永が、モンキーレンチで首を押さえつけてきたのだ。

「わかってんのか！　おう？」富永が、モンキーレンチ越しにグイグイと力を込めてきた。返事をしようにも、息ができない。うっすらと意識が遠くなっていく。小川は、寝技で締められた総合格闘家のように、富永の腕にタップした。

ようやく、モンキーレンチから解放され、小川は嗚咽《おえつ》とともに、床にしゃがみこむ。

「え？　何？　何？」

「富永さん！　何したんですか！」

「お前らも、おとなしくしろよ！」富永が怒鳴った。

全員、口を閉じた。

四人の息遣いが、暗闇を支配する。

「ごめんな、小川君」落ち着いたのか、富永が謝ってきた。

「こちらこそすいません……取り乱して」

「こういう時って、何よりも人間のパニックが一番怖いから」富永が言い訳がましく言った。

「あの……ものすごく、息が苦しいんですけど」牧原が、弱々しく言った。

「どうした、静夫」

「息ができないんです」

「パニック症状ちゃうか？」

「……ですかね？」

「とりあえず、落ち着こう」

「落ち着きたいのはやまやまなんですけど……怖くて……」

「怖いのはみんな一緒や」

富永は、自分がその怖さの原因のひとつだということをわかっているのだろうか。

落ち着けと言われたところで、この状況の中、いつまで正気が保たれるのだろう。

小川は映画の『ＣＵＢＥ《キューブ》』を思い出した。あの登場人物たちも、閉じ込められてパニクってたよな……。でも箱から箱へ移動できる分、こっちよりマシだ。

「何か、自分の好きな歌でも歌ったらどうや」富永が、牧原にアドバイスをする。

「歌、ですか……」

「一番好きな歌は？」

「エルトン・ジョンの《ユア・ソング》です」

「歌ってみろ。気分が落ち着くから」

「え……歌詞がわからないんですけど」

「鼻歌でもええから」

「……はい」

闇の中、牧原のハミングが聞こえる。はっきり言って不気味だ。小川の気分は、余計に沈んだ。

「ゲームやろうよ」歌の途中で、カオルが言った。これ以上、聞くに耐えないのだろう。「何でもいいから。しりとりでも、古今東西でも。もう気が狂いそう」

暗闇のことだろうか？　ハミングのことだろうか？

「そうやな。みんなでゲームでもしたほうが、気が紛れるかもな」富永が賛成する。

「どんなゲームをします？　僕、古今東西は苦手なんです」牧原が言った。

「じゃあ、しりとりでええんちゃうか？　じゃあ、俺から始めるで」

本当にやるつもりなのか？

「アイスクリーム」

唐突に、富永から、しりとりが始まった。

小川は、子供の頃のキャンプを思い出した。あの時も、小さいテントの暗闇の中で、友達としりとりをした。興奮して眠れなかったのだ。付き添いの大人たちに叱られないよう、小声で、クスクス笑いながらやった。まさか十何年経って、また同じことをやるとは……。ただ、昔と違うのは、全く笑えないことだ。

「次、静夫」

「『ム』？……ムッソリーニ」

「ムッソリーニって何よ？」カオルが抗議する。

「昔、ヒトラーと仲が良かったイタリア人です」と、牧原が答える。

「知らんし」

「『ニ』ですよ」牧原が、カオルに催促する。

「私？……妊娠」

「ンがつきます」

「じゃあ、妊娠九ヶ月」

なんて無神経な女だ。

「『ツ』やで」富永が、小川に催促する。

「ツンドラ気候」と、小川。

「乳母車」と、富永。

「愛娘《まなむすめ》」と、牧原。

「ちょっと！」

さすがに、小川はキレた。

「どうした？」

「子供を連想させる言葉ばっかりじゃないですか！　愛娘って……おかしいやろ！」

「……すいません、つい」

「他にいくらでもあるやろ！　マイタケとか！　マグロとか！」

「気がつきませんでした……」

「こっちの状況も考えてくれよ！」

「わかった。しりとりはやめよう」富永が、小川をなだめるように言った。「他に、何かゲームはないか？」

「秘密を告白するってのは、どう？」カオルが提案する。

「秘密？」

「今まで誰にも話したことのない秘密を、順番に言っていくねん。誰でもひとつぐらいあるでしょ？　絶対に人には言えないことが」

「秘密ですか……」牧原が呟く。

「お互いの顔が見えないから、言いやすいやろ？　どうせ、ウチらは赤の他人なわけやし。このエレベーターから一歩外に出たら、もう二度と会うことはないし。ずっと胸に抱えている秘密を、今ここで告白するねん」

小川は、陽子の顔を思い出した。麻奈美から陣痛の電話を受け、部屋から出て行く小川をじっと見つめている陽子の顔だ。下唇を嚙み、目に涙を浮かべていた。部屋のドアを閉めようとした時、陽子は指輪を外し、小川に投げつけた。陽子の誕生日に、小川が買った指輪だ。小川は指輪を拾い、陽子に返そうとしたが、ドアに鍵をかけられてしまった。

「面白そうじゃない？」カオルの声が、いたずらっ子のように弾む。

《ゲーム》は静かに始まった。

「……なんか緊張するわ。絶対、誰にも言わんとってな」

トップバッターのカオルが、全員に念を押す。

「絶対やで」

「わかってるよ。こっちも、秘密を話すわけやから、お互いさまやろ」富永が答える。

カオルの深呼吸が聞こえる。「よし。話すわ」

「頑張ってください」と、牧原。何の応援だ。

カオルが、話を始めた。

「ウチ……引きこもりやってん」

短い沈黙。

小川にも、カオルの緊張が伝わってくる。

「両親も、学校も、みんな嫌いで……部屋の中にずっとおってん。お姉ちゃんだけが、ウチの味方やったわ。綺麗やったし、優しかったし、いろんな話もしてくれたし……お姉ちゃんだけが、ウチを認めてくれた。引きこもりが治ったら、一緒に旅行しようって約束してくれた」

暗闇が息苦しいのか、カオルが、大きく息を吸った。

小川も、合わすように、深呼吸する。

「そんなある日、ウチのことを心配した両親が、カウンセリングを受けさせようとして……カウンセリングって言っても、ウチは部屋から出ないから、青少年なんちゃらセンターから、メンタルフレンドが派遣されてきてん」

「メンタルフレンド？」と、富永。

「そういうボランティア」

「そんなんがあるんや」

「部屋のドアの前に立って、いろいろ話しかけてくるねんけど、それがまた、うざいねん。

『まずは僕と友達になろう』とか。そんな簡単に友達ができるんやったら、引きこもってないって！」

「それで？」富永が、焦《じ》れて言う。

「毎日毎日、そのメンタルフレンドが来るのが嫌で……。無視してたら、そいつ、お姉ちゃんと仲良くなりだして……。そのうちお姉ちゃんは、ウチと喋るより、そのメンタルフレンドと喋るほうが多くなって」カオルが、言葉を切った。

カオルが、次の言葉を言うのを、躊躇《ちゅうちょ》しているのがわかる。

「それで？」今度は、牧原が訊いた。

カオルは独り言のように、呟いた。「燃やしに行った」

「え？　何を……」

「青少年なんちゃらセンター」

隣で牧原が唾を飲み込んだ。

「……放火ってこと？」

「うん」

「マジ……？」思わず、小川は言葉を洩《も》らした。

放火って何だよ……。小川は、さっきカオルが狂ったようにクマのぬいぐるみを振りまわしたのを思い出した。精神的に不安定で、カッとなると感情をコントロールできない女……。

小川の背中にゾッと寒いものが走る。

「どうやって、燃やしたん？」と、富永。

「夜中、石油を持って行って」

「石油？」

「家にあった石油ストーブの。ポリタンクでそのまま」

「なるほど」と、富永。放火になるほどはないだろう。

「庭から忍びこんで、テラスの窓を、花壇のブロックで割って、建物の中に入ってん。暗くて、よくわからんかったけど、食堂みたいな場所に、石油を撒《ま》いて火をつけてん」

「で、どうなったん？　その、なんちゃらセンターは？」

「全焼」

「……死人とかは？」

「ゼロ」

エレベーター内に、少しほっとした空気が流れる。

「……よくバレなかったな」

「捕まってたら、秘密でもなんでもないやん。……その時は、捕まる覚悟やったけど」

「そんなに、嫌やったんや。メンタルフレンド……」と、富永。

「その放火をするために外に出て、引きこもりが治ってんけどな」秘密を打ち明けて、スッキリしたのだろうか。カオルの声は軽い。「ウチの秘密はここまで。次は誰？」

「俺の秘密はこれや」

富永は、ポケットから何かを出した。当然、暗くて何も見えない。

「あの……これって言われても……」

「渡すから受け取って」富永が、暗闇の中、何かを渡してきた。「落としたらあかんで」

小川が手渡されたそれは、手の平サイズの瓶だった。何かの液体が入っている。

「な、何ですか？」

「ウチらにも教えてよ！」

「瓶です。液体が入ってます」小川が二人に教える。

「その液体が、俺の秘密や」

「一体、何ですか？　これ？」小川は、二人に液体の音が聞こえるように、瓶を振った。

「魔法の薬や」

「超能力の次は、魔法？」カオルが鼻を鳴らす。

富永は、気にせず続けた。

「どんな相手でも、眠らせることができる」

「……え？　まさか……」小川は戸惑い、言葉を詰まらせた。

「クロロホルムですか？」牧原が、小川の想像を口にした。

「違うよ」富永が、低い声で答える。「クロロホルムは効かない。サスペンスドラマでは、クロロホルム嗅《か》がせたら三秒くらいで寝てるけど、あれは嘘や。タオルをびちゃびちゃに濡らして、十分くらい口に当てたら眠るらしいけどな」

「じゃあ、この液体は？」

「俺もよう知らん。ヤブ医者から買っただけやから」

「効くんですか？」

「一発や。なんやったら試してみるか？」

「遠慮しときます」

「瓶を返してくれ。大事な商売道具やねんから」富永が、瓶を持つ小川に言った。

こっちだって、そんな怪しいものを、いつまでも持ちたくない。小川は、富永に瓶を突き返し、質問する。「そんなものが、空き巣に必要なんですか？」

「空き巣の基本はわかるか？」

「わかるわけないでしょ」

「家の主が、留守の間に盗みに入る」

「当たり前じゃないですか！」

「でも、もし、留守じゃなかったら？」

「え？」

「もちろん、こっちもプロやからきっちりと下調べした上で盗みに入る。ちなみに、今夜お邪魔する予定やった７０３には、ある芸能人が住んでるねん」

「このマンションに？　誰ですか？」牧原が興奮した口調で訊いた。

「誰でもええやんけ」

「教えてくださいよ」

「女優さんや」

「有名人なんですか？」

「ドラマやCMにチョコチョコ出てるな。ちなみに今は、北海道に映画のロケに行ってるはず。イコール留守だ」

「はずとは？」

「何があるかわからんやろ。急にスケジュールが変更になるかもしれないし、恋人がベッドで寝てるかもしれん」

小川は、富永が薬品をどう使うかを理解した。眠らせて盗むのだ。

「備えあればナントカや」

富永はそう言って、瓶を振った。液体の音が不気味に響く。

「ちょっと待ってよ。まさかそれが《秘密》って言うの？　全然ウチの《秘密》と釣り合ってないやん！」カオルが声を尖らす。

「まだ途中や。俺の秘密は……」

「何よ？」

「いざ、言うとなると、あれやな、緊張するな」

「早く！」

「わかってるって。そう急《せ》かすな」

富永は、わざとらしく咳払いして覚悟を決めた。

「三年くらい前の話や。俺は、いつも通り空き巣に入った。高級住宅街の一角に、ものすごく仕事がやりやすそうな家を見つけてな。壁は高いし、犬もおらん。……下調べは完璧なはずやった。家族旅行の隙を狙って入ったら、二十歳ぐらいの娘が一人残ってたんや。体調が悪かったんか、それとも最初から旅行に行く予定じゃなかったのか……。ベッドに寝ている娘に近づき、この薬品でさらに眠らせた。絶対に起きないようにな」

小川の胸に、得体の知れないドス黒いものが広がる。聞きたくない話に違いなかった。

富永は続けた。

「娘はこの世のものとは思えないほど、美しかった。静かに寝息を立てる娘を見て俺は……ひどい過ちを犯してしまった」

「過ちとは……」

「その娘をレイプしたんだ」

小川は、殴られたような衝撃に目眩《めまい》がした。レイプ？　放火？　こいつら、正気じやない。

「眠っている間にですか？」

「最低」カオルが吐き捨てるように言った。

「放火魔に言われたくないわ」富永が言い返す。

「その娘は起きなかったの？」

「ああ」

「あの……空き巣のたびに……やってるんですか？」牧原が、モゴモゴと言った。

「何を？」

「……レイプです」

「その一回きりや」富永の深いため息が聞こえた。「魔が差したんや」

富永にとって、思い出したくない過去なのだろう。その声には強い後悔の念が込められていた。

「ウチも瓶に触りたい」カオルが言った。

「ええけど、絶対に蓋を開けたらアカンで」富永が、手探りで瓶をカオルに渡す。

また、チャプチャプという音が聞こえた。

「魔法の薬か」カオルの、感嘆とも取れる声が聞こえた。「ありがとう」

カオルが、富永に、瓶を返す。

「俺の秘密はここまでや」富永が、低く冷たい声で言った。

小川は、ようやく事態の深刻さに気がついた。いつの間にか、同乗者たちの秘密の告白大会に巻き込まれたのだ。もはや、これが《ゲーム》ではないことは全員わかっていた。即席の懺悔《ざんげ》室に神はいない。あるのは、ただの自己満足だけだ。

小川は、自問する。俺の秘密は何だ？

陽子だ。

俺はこいつらに、陽子との不倫を話すのだろうか？　ありえない。麻奈美にバレるバレないの問題ではない。自分を許せるか許せないかの問題だ。このエレベーターが動いたら、明日にでも陽子と別れよう。生まれてくる子供のためにも、自分のためにも。

「次は、僕が話します」牧原が言った。最後に話すのが嫌だったのだろう。

「僕の秘密は……」牧原も言葉を詰まらす。

「な？　緊張するやろ？」

「ですね」

「頑張れ」カオルが励ます。

「サクッといけ、サクッと」富永が、煽《あお》る。

「はい。僕の秘密は、幼女を誘拐したことです」

小学生が夏休みの自由課題を発表するような軽さで、牧原は言った。

啞然《あぜん》とした空気がエレベーターを流れる。

「誘拐？　幼女っていくつ？」

「七歳くらいですかね」

もはや絶句だ。小川は、あまりの怒りに吐き気を覚えた。

「三年前の夏です。暇を持て余してパチンコに行ったんですけど、すぐに負けました。クーラーのガンガン効いた店内から一歩外に出ると、ものすごく暑くて、頭の中が溶けそうでした」

牧原は、ナレーション口調で淡々と続けた。

「女の子はパチンコ屋の駐車場で、人形と遊んでいました。たぶん、親がパチンコに夢中だったんでしょう。女の子は一人で寂しそうでした。白いブラウスがとても眩しかったのを覚えています」

「どうやって、誘拐したん？」

「『アイス食べない？』って誘って、車に乗せました。その後は、山奥に連れて行き……」

「何をしたんよ？」

「そこまでは勘弁してください」

「女の子はどうなったん？」

「三十分後に、元の駐車場に帰しました」

これは、悪い夢だ。小川は、自分に言い聞かせた。エレベーターが動き出せば、三人の秘密もキレイに忘れてしまうはずだ。子供も無事に生まれるはずだ。これから、麻奈美と幸せな家庭を築けるはずだ。こいつらの秘密を聞いたところで、俺の人生には全く影響はない。

「これが僕の秘密です」牧原の声が、小川を現実に引き戻した。

次は、自分が話す番だ。

「別に秘密なんてないですよ」小川は、わざと明るい口調で言った。「万引きしたことがあるとか、十五の夜に盗んだバイクで走ったとか、その程度の秘密ならありますけど」

「なめんなよ」富永が、ドスをきかせた声で凄む。

全く、冗談が通じるような空気ではない。

「誰だってあるはずです。人に言えない秘密が」と牧原。

「自分だけ逃げられると思ったら大間違いやで」カオルの声も怒っている。

「だって、本当にないんですよ」小川は笑いながら言った。頬が引きつる。

「嘘つくな！　コラ！」富永が、モンキーレンチで壁を殴った。小川は、ガインという金属音に身を縮める。振動で、エレベーターが揺れた。

「話せって！」

「話してください！」

「ずるいで！」

「ないものはないって！」小川も食い下がる。「あんたたちみたいな、犯罪者じゃないんだ！」

しまった。小川は、後悔した。今の言葉は禁句だ。

誰もが、口を閉じた。決して開こうとしない、エレベーターのドアのように。

暗闇の中、チキチキという音が響く。

カオルのカッターナイフだ。

「……すいません。言い過ぎました」

小川は慌てて謝ったが、誰も何も答えてくれない。

チキチキチキチキチキ。カオルがさらに刃を伸ばす。

ヤバイ。刺される。

全身から、汗が噴き出す。膝が震える。

「ちょっと、待ってくれって！　絶対、三人の秘密は誰にも言わない！　約束するから！」

「あんたの秘密は？」カオルが、言った。「早く」

「だから！　本当にないって！」

「静夫」富永が、牧原の名を呼んだ。

闇の中、手を摑まれた。牧原の手だ。

「こいつの心を読め」

「おい！　やめろ！　離せよ！」小川は、抵抗を試みるが、牧原はすごい力で手を離さない。

「動くな！」富永が、声を張り上げる。

「見えました」牧原が言った。

その時、突然、目の前が明るくなった。たとえて言ってるのではなく、本当に蛍光灯が点《つ》いたのだ。

5

「良かった……」

小川は、一瞬、状況を忘れて、安堵《あんど》の声を洩らす。しかし、いつの間にか、三人が自分を取り囲んでいることに気づき、息を呑んだ。

富永の手にはモンキーレンチ。

カオルの手にはカッターナイフ。

牧原の手には折れ曲がったスプーン。

三人とも、目が血走っている。

「全然、良くない」

カオルのセリフが合図のように、三人がジリジリと近寄ってくる。

小川は、あっという間に、壁際まで追い詰められた。

「何なんですか！」小川は、逆ギレ気味に抵抗を試みた。

富永はわざと小川を無視して、牧原に訊いた。「静夫。何が見えた？」

「指輪です」牧原がゆっくりと答える。

その言葉を聞いて、小川は、膝から下の感覚がなくなったような気がした。エレベーターの床がトランポリンのようだ。

「今、ポケットに入っていますね」

陽子に投げつけられた指輪だ。返すことができず、ポケットに入っている。

「ポケットの中を見せろや」

「嫌です。プライバシーの侵害じゃないですか！」

「見せろや！」富永が、モンキーレンチを振り上げる。

カオルが、富永を制するように小川の前に立ち、カッターナイフの刃を首筋に当てた。冷たい。この女は本気だ。

小川は、観念して、ゆっくりとポケットから指輪を出した。陽子の誕生石であるサファイアが入ったシンプルなデザインだ。

「誰の指輪ですか？」牧原が、静かに、小川に訊いた。

「……妻のです」

「何で、ポケットに入ってるんですか」

「今朝、家を出る時に喧嘩して……」

「喧嘩して？」

「投げつけられたんです」

「嘘はやめてください」牧原がキッパリと言い切った。

「嘘なんかついてない。赤の他人のあんたに、こんな嘘ついても何のメリットもないだろ？」

「じゃあ、エレベーターが動いたら、この指輪を奥さんに返していいですか？」

「……困る」

「困る、だって！」カオルが、嬉しそうに、富永の顔を見る。

次は、富永が小川を責める番だ。「小川君。このマンションには何しに来たんやったっけ?」

「だから、自己紹介の時に言ったじゃないですか! バイトの子を送りに来たんですよ!」

「その、バイトの子は男か女か、どっちだ」

「女ですけど……それが何か?」

「その指輪、その女のものと違うのか」

ダメだ。もう、言い逃れはできない。小川の中で、何かがポキンと折れた。「そうです……」

「買ってあげたのか?」

「……はい」

「その女性との関係は?」カオルも問い詰める。

「バイトの子なんですけど……」

「バイトの子に指輪? おかしくない?」

もう、話すしかない。こいつらの秘密よりはひどくない。よくある浮気ばなしだ。

「付き合ってるんです」

「いつから？」

「一年半前です」

「奥さん、妊娠してるのに？　さっき、奥さんのこと『愛してる』って言わんかったっけ？」

「すいません」

「ウチらに謝ってどうするの？」

「どうりで、最初から慌ててるわけや」

「浮気中に陣痛の電話やからな。ビビッたやろなー」

「今日は、ただ送っただけです！」

「今日は、やって。いつもはヤッてるんやろ？」

「しかも、乗ったエレベーターは動かないときた。小川君、ついてへんな」

「もし」カオルが、小川を覗き込んで言った。「もし、このエレベーターの事故が、新聞やテレビでニュースになったら」

「奥さん、ショックやろな」富永が大げさに顔を歪《ゆが》める。

「ウチやったら自殺するな」

牧原だけは何も言わず、小川をじっと見ている。軽蔑の眼差しだ。

「信じてください！　本当に単なる浮気心なんです！　本当に、愛してるのは妻だけなんです！」

「知らんし」カオルが、冷たく言い放つ。

「うわあ、今すごいこと思いついた」富永が、大げさに言った。

「何ですか？」

「もし、俺たち四人がこのままエレベーターから脱出できなかったら？」

「誰かが気づくって」

「もし、誰も気づかなかったら？」

「飢え死にやろね」

「小川君の奥さんはどう思うやろ？　夫の遺体の発見場所が、浮気相手のマンションのエレベーター！」

忘れていた後頭部の痛みが再びズキリと襲ってきた。

クラクラと目眩がし、富永の顔が回る。吐きそうだ。

小川は、力なくひざまずいた。

「どうすれば……いいんでしょうか……まさか……こんなことに、なるなんて」

きっと、麻奈美も俺を軽蔑するだろう。悲しむだろう。苦しむだろう。……罪の重さに潰されそうだ。

ここで死ぬわけにはいかない。

「助けてください！　お願いします！　助けてください！」

小川は、富永の足にしがみついた。

「わかった。力になったる」

富永が、小川の肩に手を置いた。

「遺言を残すってのはどうだ」

「遺言？」

「最悪の場合を考えて、奥さんに本当の気持ちを残しておくねん」

富永は、カオルからＭＤレコーダーを借り、小川に手渡した。

「声の遺言や」

小川は、目を閉じた。

麻奈美。

心の中で名前を呼ぶ。

ごめんよ。

そして、ゆっくりと、MDレコーダーのマイクに向かって話しかけた。

「麻奈美。君がこれを聞いているってことは……俺は、もうこの世にいないってことになる」

目の奥が熱くなる。やっぱり、浮気なんて、やめておけばよかった。

もう遅い。今は、麻奈美に謝るんだ。

「無事に子供は生まれた？　男の子？　女の子？　出産に立ち会えなくてゴメンな。子供のこと、よろしく頼む。……それと、今まで騙《だま》してきて悪かった。裏切って……ゴメン。許してくれ。信じて欲しい。本当に愛しているのは……」

涙が溢《あふ》れて止まらなくなった。こんなにも、麻奈美のことを愛していた自分に、小川は驚いた。早く、この気持ちを、麻奈美に伝えたい。

「本当に愛してるのは」

その時だった。

聞き覚えのある音が、小川の言葉を止めた。

ピピピッピピピッと、細かく刻まれる電子音が、牧原のジーンズから聞こえてくる。

「何の音やねん！」富永が、牧原を睨む。

牧原が、慌ててポケットに手を突っ込み、音を止めようとする。

「せっかく、いいとこなのに！　さあ、続けて」カオルが、無理やりMDレコーダーを小川の口に持っていく。

この音……。

小川は、MDレコーダーを床に落とした。

アラームだ。……俺の腕時計だ！

「あれ？　あれ？」牧原は、音を止めようと躍起になって、ポケットをまさぐるが、止まらない。

「ポケットの中のものを見せてくれませんか」小川は、牧原に詰め寄った。

「嫌です……プライバシーの……アレで」牧原がモゴモゴと言い訳をする。

小川は、牧原のポケットに手を突っ込んだ。

「ちょっと！　やめて……」

小川は、ポケットから腕時計を引き抜き、慣れた手つきでアラームを止めた。

牧原が、小川から目を逸らす。

「何で、あんたが俺の腕時計を持ってるんだ？」

「それは……」富永が、助け舟を出す。「あれや……ほら……小川君が気絶した時に
……脈を測ろうとして……外したんやな？」

「そう！　み、脈です！」牧原が、苦し紛れの返事をする。

小川は、三人の顔を見た。三人とも、小川と目を合わそうとしない。

「最初から、何かおかしいなと感じていたんです」

「そりゃ、あれだけ強く頭を打ったら」

「違う！……もっと、何か違和感のような……何か……辻褄《つじつま》が合わないような」

小川は、記憶を巡らせた。エレベーターに乗って……。気絶から目を覚まして……。

あれ？　エレベーターに乗る？

小川は、もう一度、三人の顔を見る。

もしかして……。

「牧原さん」

「は、はい」

「このエレベーターに乗る前に、どこに行ってたんですか？」

「コンビニですけど……」

「カオルさん」

「何よ……」

「カオルさんは、このマンションの最上階から、飛び降りる予定だった」

「だから？」

「富永さん」

「……何やねん？」

「富永さんは、703号室に空き巣に入る予定だった」

「それがどうしてん」

「そして、俺は家に帰るとこだった。305号室から」富永の顔が歪んだ。

「何で、マンションから出て行く俺と、入ってくるあんたたちが、同じエレベーターに乗り合わせるんですか？」

麻奈美から、陣痛の電話を受けて、陽子の部屋を出た。エレベーターまで走り、下のボタンを押した。階数表示が点滅して、エレベーターが降りてくる。

そう、降りてきたのだ。

「確かに俺は、下りのエレベーターに乗った。どうして、あんたたちも下りのエレベーターに乗ってるんですか」

三人が顔を見合わせた。三人とも苦笑いを浮かべている。

「あーあ。残念ですね。もう一歩だったのに」カオルが言った。

「やってもうた。凡ミスやわ」富永が言った。

「だから、こんな仕事、嫌だって言ったじゃない！」牧原が、オカマ口調で言った。

仕事？　オカマ？　て言うか……。

こいつら、他人同士じゃない！

小川は、愕然《がくぜん》とした。

「どうなってるんですか！　何なんですかこれ？　お前ら、さっきから、俺に何してるんだよ！」

小川は、混乱して叫んだ。

一体、何が起こってる？

カオルが、クスクスと笑い出す。富永も、ニヤニヤしながら笑いをこらえている。

牧原だけが冷たい目で小川を見ている。

小川は、怒りと恐怖で全身がぶるぶると震えた。

「おい！　訊いてるだろ！　何が目的なんだ？　お前ら、一体、何者なんだ？　放火とか、誘拐とか、クロロホルムとか」

「だから、これはクロロホルムじゃないって」

富永が、背広のポケットから小さな瓶を取り出した。

「あんた、自分のやったことわかってんのか？　レイプだぞ！」

「お願いだから、落ち着いて。もう終わったのよ」牧原が小川をなだめるが、完全にオカマ口調だ。落ち着けるわけがない。

何だ？　この口調？　何で、さっきと違うんだ？　目的は何だ？　もしかして……。

エレベーターもこいつらが止めたのか？

「言えよ！　俺に何をする気だ！」小川は、絶叫した。相手に恐怖を悟られないためだ。

「サブちゃん」牧原が、富永に言った。

サブちゃん？　誰だそれ？

「どうしよう？　何から話す？」

「一旦、おとなしくなってもらいませんか？……魔法の薬で」カオルが、丁寧な言葉遣いで言った。こいつも、さっきとは明らかに別人だ。

「どうする？」

富永の問いかけに、牧原がため息をついて、頷く。

「仕方ないわね」

富永が、瓶の蓋を開けた。例の瓶だ。魔法の薬なんかじゃない、違法の危険物だ。

富永が、ポケットからハンカチを取り出し、瓶の中の液体を染み込ませる。

薬を使う気だ。誰に？　もちろん、俺に決まっている。

小川は、殴りかかろうとしたが、カオルのカッターナイフのほうが、一歩早かった。

カオルが、カッターナイフの刃を、小川の鼻先にかまえる。身動きが取れない。

ハンカチを持った富永が、ゆっくりと、小川に近づいてくる。

「おい！　やめろって！　おい！」

小川は、しゃがみこんで、カッターナイフの刃をかわし、エレベーターのドアに駆け寄った。

外に向かって、力の限り叫ぶ。

「助けてくれー！」

後ろから、ハンカチで口を押さえつけられ、叫び声が、かき消される。

甘い刺激臭が、鼻の奥を襲う。

薄れゆく意識の中で、小川は思った。

今度からは、階段を使おう。

第二章　マッキーの悪夢

1

冗談じゃないわよ。何で、私がエレベーターに乗らなきゃなんないの。

マッキーは、心の中で舌打ちをした。

ペットの匂い、タバコの匂い、隣の三郎の体臭、エレベーターにこもっている全ての匂いが、マッキーをイラつかせた。

狭いし！

「ねえ、サブちゃん。その、ターゲットちゃんはいつ来るわけ？　小川順君だっけ？」

「だから、オカマ口調はアカンって。その《サブちゃん》もやめろ。俺は、今夜は《富永》、お前は《牧原》やろ」

「やめてよ、本名は」

「下手に偽名を使うと、絶対ボロが出るから。それに、俺のことを《富永》と呼ぶのも自己紹介が終わってからやぞ」三郎も、イラついている。

「今頃、ラブホテルなんじゃないの？」マッキーは、わざと三郎を怒らせるように裏声で言った。

「それはないやろ。小川は、須藤陽子との情事で、ラブホテルを使ったことはない」

情事って……。マッキーは、鼻で笑った。三郎とは、長い付き合いになるが、時々使う古臭い言葉が、どうしようもなくダサく思えた。

同い年なのに。

三郎は、離婚してから急激に老けた。お腹も出てきちゃったし。よれよれのスーツ姿がおっさん度を増している。こうして、私と並んでみると、十歳は離れて見える。

高校時代の三郎は、もっと輝いていなかったっけ？

三郎とは高校の野球部で仲良くなった。三郎がショート。私がセカンド。三郎は、キャプテンで三番バッター。チーム一の打点を誇っていた。

『俺の打点は、二番の牧原の送りバントのおかげや』

三郎が、チームメイトにそう言うたびに、胸がときめいたものだ。もちろん、その時は、私が男好きだということは誰も知らなかったけど。

高校を卒業して、私はカミングアウト。こっちの業界に入り、マッキーという源氏名でデビュー。親は泣いたけど、私の本当の人生は、そこからがプレイボール。いろいろあって、今は小さいながらも、店のママとして順風満帆なオカマ人生だ。

憧れのサブちゃんは、大学まで野球を続けたものの、レギュラーが獲《と》れず、断念。大学を中退。次は役者を目指して上京するも、悪徳プロダクションに金を絞り取られて、断念。その頃から、サブちゃんの転落人生が始まった。キャバクラのキャッチやら、デリヘルの運転手を経て、今は、借金の取立て代行みたいなことをやっている。

本人は「俺は、探偵だ」と言い張っているけど……。

劇的な再会は、私がオカマになってからのこと。私の店、《スラッガー》にふらりと三郎が現れたのだ。

三郎の第一声は「オカマバーかよ」だった。そして、私の顔を見て言った。「えっ……牧原？」

あのときの三郎の顔、忘れられないわ。

三郎の携帯電話が鳴った。三郎が電話に出る。カオルからの連絡だ。

カオルは、三郎のエセ探偵事務所で働く、秘書兼助手のアルバイトだ。

マッキーは、カオルをレズだと疑っていた。なんとなく、直感で。彼女の今夜の役割は、自殺大好き少女。少女という年でもないけどね。うまく演じられるかしら。

なぜ、三郎が、こんな回りくどい方法を取るのか理解できなかった。役者への未練かしら？

三郎によると、依頼人の小川麻奈美は、こう言ったらしい。

『夫の本音が知りたいんです。私のことを、愛しているのか？　愛していないのか？』

二ヶ月前からの調査で、夫・小川順の不倫はわかっていた。普通なら別れるところだが、もう一度、チャンスを与えたいのだ。

「条件は二つ。夫を極限状況に追いこんで、本音を聞きだすこと。もうひとつは、その言葉を録音すること」

――一週間前。

《スラッガー》のカウンターで、三郎が、ターキーのソーダ割りを飲みながら言った。

ハードボイルドに憧れている三郎は、いつもバーボンを頼むが、そんなに酒が強くないので多めのソーダで割る。しかも、レモン入り。マッキーからみれば、一番まずいバーボンの飲み方だ。

マッキーは、しげしげと三郎の今日の格好を見る。和柄のアロハにチノパンにビーチサンダル。極めつけは、ニューヨーク・ヤンキースのキャップ。ハードボイルドには、ほど遠い。

「かなりやっかいですね」

カオルは礼儀正しく、小さい体をちょこんと椅子に腰掛けさせて言った。ジーパンとスニーカーと、なぜかメタリカのTシャツ姿。色気ゼロだ。そのくせ、飲み物はアドボカートのミルク割り。卵のリキュールだ。カオルはいつも「飲んだことないやつで、甘いのください」と注文するので、マッキーは正直、面倒くさがっていた。

「そんなに簡単にいくかしら？」三郎の計画を聞いたマッキーは、首を傾けて言った。

「大丈夫。密室が奴の心を開く」三郎が自信たっぷりに言った。

確かに、普通に本人を捕まえて、浮気してますね？　奥さんを愛してますか？　と問い詰めたところで、答えはわかっている。平謝りで、愛の言葉を連発するだろう。

「これって、監禁罪にならないのでしょうか？」カオルが言った。

「おいおい！　人聞き悪いこと言うなよ、カオルちゃん。大丈夫。あくまでも、エレベーターの事故やから」

マンションの管理人を買収しているくせに、よく言うわ。マッキーは三杯目のターキーソーダをステアした。

「とにかく、俺たちは赤の他人やから。三人とも、気合入れてくれよ」

マッキーは、ステアの手を止めた。「ちょっと待って。三人って、誰と誰と誰？」

「決まってるやんけ、俺とカオルとお前」

「マッキーさん、よろしくお願いします」カオルが律儀に頭を下げる。

「絶対に無理！」

「頼むわ。お前しかおらんねん！　この前も手伝ってくれたやんけ！」

確かに、一度、興味本位で三郎の仕事を手伝ったことがある。カオルが法事で田舎に帰ってしまい、人手が足りないと、三郎に泣きつかれたからだ。仕事の内容は犬探し。ある金持ちのトイ・プードルが行方不明になったのだ。結局、見つかったのだが、でかい雑種犬と交尾の真っ最中で、二匹を引き離すのに苦労した。でかい雑種犬がメスで、プードルがオス。愛の営みを邪魔された、でかい雑種犬が大暴れして、三郎は腕を、マッキーはチャームポイントのお尻を嚙まれたのだ。三郎の腕には、今もそのときの傷がしっかり残っている。私のお尻にもね……。犬の世界も女が強いようだ。

　とにかく、三郎の計画は行き当たりばったりだ。今回のエレベーターも、うまくいくとは思えなかった。

「今回は特に、お前の演技力が必要やねん！」

「自分も、役者をやってたでしょ！」

「俺の場合は、役者志望や。お前みたいに、客の前で演じたことはない」

　オカマのショーはレベルが高い。ショーパブ時代、マッキーが働いていた店は特に人気があり、ステージもハイクオリティだった。歌に、ダンスに、演劇に、なんでもござれだ。マッキーの十八番は、エルトン・ジョンやジョージ・マイケルなどのゲイシンガーの物まねだ。

「そもそも、エレベーターに閉じ込めることに無理がない？　止めるタイミングもあるし、ターゲットがおとなしくするとも限らないし」マッキーは、手伝いたくない一心で、反論した。

「確かにその通りですね」カオルはアドボカート・ミルクを飲み干して言った。「飲んだことないやつで、甘いのください」

マッキーは、グレナデンシロップを瓶ごと、カウンターに置いた。本来のグレナデンシロップは、ザクロの実から赤い色を抽出するが、これは、酒屋のおまけでもらった安物だ。着色料を使った、ただの砂糖水だ。主にカクテルの色付けに使うが、甘すぎるので、マッキーはテキーラ・サンライズにしか使わないことに決めている。

「これ、どうやって飲むんですか？」

「そのままよ！」

「何、怒ってるねん。オカマのヒステリーなんか見たくないぞ」

「わかってないわね。オカマの成分は、六割が水分。三割がヒステリーよ」

「残りの一割は？」

「ジョージ・クルーニーを想う気持ちよ」

「私は好きじゃないです」カオルが言った。「ジョージ・クルーニー、体臭キツそう」

「うるさいわね。とにかく、私は手伝わないからね。忠告してあげるけど、絶対に失敗するわよ」

「安心しろ、秘密兵器があるねん」

三郎は、チノパンのポケットから、小さな瓶を出し、グレナデンシロップの横に並べた。

べた。

「何よ、これ？」

三郎は、ターキーソーダを一口飲み、ニヤリと笑った。「魔法の薬や」

「わかった」

エレベーターの中。三郎が、携帯電話を切った。

「カオルちゃん、どうって？」

「やっと、送別会が終わって、今、ターゲットと須藤陽子がこっちに向かっている」

須藤陽子。小川の浮気相手だ。下調べの写真を見た第一印象は、真面目そうで、不倫をするタイプには見えなかった。ただ、女は見た目では判断できない。女って怖いわ……。オカマの私が言うのもおかしいけど。

三郎の顔が暗い。

「どうしたの？」

「問題発生や」

「何？」

「どうも須藤陽子が、ベロベロに酔っ払っているらしいわ」

「マジで？」

「すぐには帰らんかもな」

「お泊まりも考えられるわね」

三郎は、舌打ちをして、エレベーターの壁を殴った。

すでに、一時間ほど前から、こっちのエレベーターはストップさせている。買収した管理人から預かった鍵を使い、手動モードに切り替えているのだ。住人たちは、もうひとつのエレベーターを使っているから、このエレベーターが止まっていることには気づかないはずだ。やるなら、今日だ。日程を変える時間も、金もない。

「どうにかして、小川の奴をすぐ家に帰らす方法はないか」

「私に任して」マッキーが、三郎の携帯を奪った。

「お、おい。どうするねん？」

「奥さんに協力してもらうのよ」

「どうしたんですか？」

小川麻奈美の声が、電話越しにも警戒しているのがわかる。この時間に、三郎の携帯電話から連絡が来る予定はないからだ。

「こんばんは」マッキーは、なるべく、頼もしい男の声に聞こえるように喉を絞った。

「……探偵社の方ですか？」麻奈美の警戒が、さらに強くなる。

「そうです」

「あの……いつもの人は？」

「今、張り込みの途中でして、手が離せないんですよ」

三郎のことだ。

「はあ……」

「実は問題が発生しまして」

「な、何ですか？」

「十五分後に、旦那さんのケータイに電話をかけて欲しいんです」

「どうしてですか？」

ここは、下手に隠さず、本当のことを言ったほうがいい。マッキーは、そう判断した。自分も半分女だからわかる。女に嘘は通用しない。

「浮気相手の女が、かなり酔っ払ってまして、旦那さんが、部屋に泊まる可能性があります。奥さんが嘘をついて、旦那さんをおびき出して欲しいんです」

「…………」

無言だが、麻奈美の怒りが伝わってくる。

「……別の日に変更はできないんですか？」

マッキーが、チラリと三郎を見る。三郎は、指でお金のマークを作った。

「その分、経費が上乗せになりますが……」

「……いくらですか？」

三郎が、指を三本立てた。「三十万円になります」

麻奈美のため息が聞こえた。迷っているようだ。

「これ以上、ムダなお金は払わなくてもいいんじゃないですか」マッキーの一言で、麻奈美は覚悟ができたようだ。「わかりました。あの……何て言えば？」

「陣痛が始まった、と言ってください」

「陣痛が始まった」麻奈美が、棒読みで返す。

まずい。彼女に芝居は無理だ。

「普段、旦那さんのことを何て呼んでますか？」

少しの戸惑いの後、麻奈美が答えた。「……順くんです」

「では、こう言ってください。『順くん！　めっちゃお腹痛いねんけど！』はい！」

「……順くん……めっちゃお腹痛いねんけど」

まだ、不自然だが、さっきよりはマシだ。

「『やばい！』も入れましょうか。『順くん！　やばい！　めっちゃお腹痛いねんけど！』です。はい！」

「順くん……やばい？　めっちゃお腹痛いねんけど……これで、いいんですか？」

「なるべく、苦しそうに、かつ嬉しそうに言ってくださいね」

マッキーは、麻奈美との電話を終え、三郎に携帯電話を返した。

「嬉しそうにって、なんでや？」三郎が、怪訝《けげん》そうな顔で、マッキーに訊いた。

「ベィビーが生まれることが、女にとっての一番の幸せなの。悔しいけどね」

「なるほど。て言うか、お前、子ども産みたいの？」

「もちろん」

「……誰の子？」

「ジョージ・クルーニーに決まってるでしょ」

2

「お疲れ様です！」

カオルが、息を切らせて、エレベーターに乗り込んできた。

まだ、始まってもないのに、何がお疲れ様なのか。

「小川は？」

「今、駐車場に車を停めています」

カオルが、マッキーの姿を見て吹き出した。

「何よ！」カオルに、ノーメイクの顔を見られるのは初めてだ。

マッキー自身も、三郎が用意したこの衣装を見た時は、カオルの代わりに、マンションから飛び降りてやろうかと思った。

気持ちの悪い黄緑色のシャツに、この救いようのないケミカルウォッシュのジーパン。三郎曰《いわ》く、390円ショップで揃《そろ》えたらしい。

「すっぴんのマッキーさんて、バッタみたいですね」カオルの感想に、今度は三郎が吹き出した。

オカマ相手に口喧嘩を売るとは、いい度胸じゃない。

「あんたの格好も何？」マッキーは、カオルの全身、真っ黒の衣装を見て言った。

「魔女みたいよ」

「ありがとうございます」なぜか、カオルは喜んでいる。彼女にとっては、褒め言葉なのだろうか？　マッキーは、カオルに口喧嘩を挑むのをやめた。オカマは、天然ボケの女は苦手なのだ。嫌味や皮肉を言っても、ボサノバでも聴くように涼しい顔をしている。自分が苛められていることに、気づいていないのだ。

「おい、それは何だ？」三郎が、カオルの手に持っているものを見て、言った。

クマのぬいぐるみだ。打ち合わせの段階で、クマのクの字も出ていなかったはずだ。

「クマのぬいぐるみです」と、カオルが、見たまんまの答えを言った。マッキーは、カオルを可愛がっていた。自分にもなついているし、他の女と違って、男に媚《こび》を売るビッチな面もない。そして、何より素直だ。ただ、素直過ぎて、時折、絞め殺したくなる。

「何で、そんなものを持って来てん！」三郎が、カオルに怒鳴った。

「キャラ作りですけど」カオルが、リスのようにキョトンとした顔で答える。「私の役は、小川さんを怖がらせる不気味な女と聞いてたんで」

カオルは、黒いポーチから、カッターナイフを取り出した。ナイルの刃には、赤いものがこびりついている。

「へへ……グラナデンシロップですぅ。血みたいでしょ？」

カオルは、嬉しそうに、カッターナイフの刃を見せびらかした。

グラナデンじゃなくて、グレナデンよ。マッキーは、そう、諭したかったが、やめた。触らぬ天然ボケにストレスなしだ。

「あんまり、顔に近づけちゃうと、甘い匂いがするんですけどね」

「カオル、あのな……まあ、いいや。クマはゴミ捨て場で拾ったことにしよう」

三郎も、カオルを諭すのを諦めたようだ。

「マッキーさんのも、用意しました」

カオルは、同じポーチから、スプーンを取り出した。

今度は、こっちがきょとんとする番だ。

「カオルちゃん……それは？」

「スプーンです」

カオルは得意げに、スプーンを曲げて見せた。恐らく、デパートの手品グッズで買ってきたのだろう。

「マッキーさんの役、超能力者でしょ」

三郎の肩が震えている。今にも怒りで爆発しそうだ。「別にスプーンはいらないだろう。心が読めるっていう設定だけなんだから」

「あったほうがいいかなと」

「あのな……何でお前は、いつもそうやって、大ボケをかますんだよ！」

「すいません」カオルが、泣きそうになる。

長くなりそうだ。マッキーがカオルから、スプーンを受け取った。

「ありがとう、カオルちゃん。機会があれば、是非使わせてもらうわ」

「エレベーターが動きました！」カオルが興奮気味に言った。

もう一台のエレベーターのことだ。

二台のエレベーターは、はす向かいに並んでいるので、マッキーたちが乗っているエレベーターの開け放した扉から、ちょうど、もう一台の階数表示が見える。

「いよいよやな」三郎も興奮しているようだ。

階数表示が3で止まった。須藤陽子の部屋は305だ。

マッキーたちは今、最上階の八階にいた。八階には、管理人の部屋と、管理会社のオフィスしかなく、この時間は住人が上がってこない。つまり、待機場所としては、絶好の階なのだ。マッキーたちのエレベーターは、手動でストップさせて、ドアを開けたままにしている。が、もうすぐ、このドアは開かなくなる。小川の本音を聞き出すまでは。

三郎が、目立たぬように、柱の陰から双眼鏡で小川たちを確認しようとする。この角度で見えるわけがないのだが……。

「陽子！　部屋の鍵は!?」

静まり返ったマンションに、小川の声が響く。

間違いない、帰ってきた。

三階からのドアの音で、小川と陽子が部屋に入ったのを確認し、カオルが持ち場に走った。

マッキーは、頭の中で、計画の段取りを再確認した。


まず、カオルの役割は、さっきまで小川と陽子が乗っていたもうひとつのエレベーターを八階まであげてストップさせ、使用不可にすること。今、マッキーたちが待機させているエレベーターに、小川を乗せるためだ。この時、短時間だが、両方のエレベーターが八階で、止まっている状態になる。小川が、麻奈美の電話を受けて慌てて飛び出してきたら、マッキーたちのエレベーターの手動を解除する。小川が三階から呼びボタンを押せば、マッキーと三郎が乗ったエレベーターが降りていくことになる。三階以外の全階に『点検中』の紙を貼ったので、他の階の住人が乗ってくる心配はない。エレベーターが三階に着いて、小川が何も知らずに乗ってきたところを《魔法の薬》を使って、すばやく気絶させる。意識のない小川を八階まで運んだら、エレベーターを、再びストップさせる。マンションの住人に怪しまれないよう、カオルが、もうひとつのエレベーターを動かす。そして、八階でストップさせている方のエレベーターに全員が乗り込み、鍵を使ってドアを閉じれば、監禁部屋の完成だ。

さあ、作戦開始ね。

三人は、八階のフロアに並んで階数表示板を見つめている。

カオルが、三階で止まったエレベーターを八階まで上げるため、呼びボタンを連打し始めた。小川と陽子が乗って、三階で降りていったやつだ。

階数表示が3から4、5とスムーズに上がってくる。よし、何とかなりそうだ。マッキーは、このタイミングが最初の難関だと考えていた。もし、たまたま、住人が帰ってきたら、当然、動いている方のエレベーターを使うしかない。そうなると、一度、一階まで下ろされることになり、何かとやっかいだからだ。

小川と陽子の乗っていたエレベーターが八階までやってきた。よし、ドアが開いたら、手際よくストップさせなくては。

カオルが悲鳴をあげた。

「どうした！」

三郎と、マッキーが、エレベーターに駆け寄る。

「何よ！　もうー！」マッキーも、エレベーターの中を見て、悲鳴をあげた。

エレベーターの中に、ゲロがあったのだ。

「これ？　須藤陽子の？」

「だいぶ、酔ってましたからね」

「酔ってゲロ吐くなんて、女を捨ててるわね」

「ヤバイな……問題発生や」

「何がよ？」

「俺たちが本命のエレベーターを止めるから、住人はこっちしか使えないわけやろ？」

「それが、どうしたのよ？」

「ひとつしかない、エレベーターがゲロまみれ。どうよ？」

「私だったら、管理人さんに苦情を言いますね。どれだけ遅い時間でも」

確かに、ゲロをこのままにしておくのは好ましくない。ゲロひとつで計画が台無しになってしまうかもだ。危険要素は、前もって排除すべきだ。

……排除？

三郎とカオルが、すがるような目で、マッキーを見た。

「何よ、あんたたち！　その目は！」

「お前しかおらん」

「嫌よ！」

「ゲロ掃除はお手の物だろ！　水商売が長いねんから！」

「私はね、お金払ってくれる客のゲロしか掃除しないのよ！」マッキーが吠えた。

「カオルがやりなさいよ！　一番、年下なんだから！」

「私も吐いちゃいますけど、いいですか？」

「だめだ。カオルも俺と来い。小川を気絶させるぞ」

「ちょっと、待ちなさいよ！　ゲロを押し付けないでよ！　カオルに何ができるのよ！」

「じゃあ、お前が小川を気絶させるか？」

薬があるとはいえ、オカマ歴十年の細腕で、大の男を失神させることは不可能だ。

一応、こっちも男だけど。

下の階から、ドアの音と小川の声が聞こえた。

「おい！　陽子！　開けろって！　この指輪は、どういう意味やねん！」

指輪？　何のことだ？

「ヤバイ！　出てきたぞ！」三郎が、器用にゲロを避けて、エレベーターの中に入った。「臭いな！　もう！」三郎は、管理人の鍵を使い、非常用ボタンの上にある小さな扉を開けて、手動でエレベーターをストップさせた。

「どうする？　掃除か、気絶させるか」

「わかったわよ。やればいいんでしょ！　ゲロは別料金だからね」

「助かる。行くぞ、カオル」

三郎とカオルが、マッキーを置いて、キレイなほうのエレベーターに乗り込んだ。

三郎が急いで手動を解除する。

「気をつけてよ！」

マッキーは少しほっとしていた。小川を気絶させるのが、この計画での最大の難関だ。三郎が用意した薬品がどの程度の効力があるのか知らないが、果たして、そんな簡単にうまくいくのだろうか？　マッキーは、こんな無茶な計画に協力している自分に腹が立った。昔、好きだった男とは言え……私、アホじゃないかしら。あーあ。どこかにイイ男はいないかしら。誠実でたくましくって、優しくて、面白くて、ジョージ・クルーニーに似てる人。わかってる。いるわけないわよね。

小川が、三階でエレベーターの呼びボタンを押したのだろう。二人を乗せたエレベーターのドアがゆっくりと閉まる。

「頑張ってください！」ドアの向こうで、カオルが、笑顔で手を振った。

この状況で、なぜ、笑顔？　やっぱり、あの女、絞め殺す。マッキーは、心に誓った。

さあ、急がなくちゃ。

気を取り直そうとしたマッキーの目に、焼きそばの残骸《ざんがい》が飛び込んできた。

……まさに悪夢だわ。

3

「あら、思ったよりイイ男じゃない？」

エレベーターの床で倒れている小川を見て、マッキーが言った。

「その薬、効きますねー。びっくりしました」

カオルが、三郎の手のハンカチを見て感心している。

小川は、眠っているようにも、死んでいるようにも見えた。

「いつ起きるわけ？」

「わからん。業者の話では十分か十五分らしい」

三郎の言う《業者》とは、付き合いのあるヤクザ連中のことだ。三郎の探偵事務所は、《業者》からの依頼でもっているようなものだ。借金で夜逃げした人間を追いかけたり、倒産した会社の社長を張り込んだり、それなりに忙しい。三郎は、よく《業者》から怪しい品を買ってきた。偽の警察手帳や、簡単に車を動けなくする装置、特殊な光を当てると暗闇でも見えるインク、などなど。この薬を《業者》が何に使っているのか、マッキーはあまり考えないようにした。どうせ、ろくでもないことだ。

三郎が、今回の小川麻奈美の依頼にやたらとはりきっているのは、久しぶりの《業者》以外の仕事だからだ。

三郎が、腰をかがめて、心配そうに小川の後頭部を触っている。

「どうしたの？」

「いや、頭を打ったからなあ……」

「受身が取れないですもんね」

「まあ、大丈夫やろ」

三郎が、小川をそっと寝かした拍子に、小川のシャツの下から白いタンクトップが見えた。

そこそこ、セクシーじゃない？　マッキーは、若干、テンションをあげた。

小川順。三郎から見せてもらった資料によると、レストラン・バーの副店長。マッキーは、同じ職種からか、親近感を感じていた。

天然パーマかしら？　オールバックに撫で付けられた髪。軽く整えられた、口ヒゲ。横になっているのでわかりづらいが、背も高そうだ。

きっと、ヒゲを剃《そ》ったら童顔ね……。マッキーは、さらに若干、モチベーションをあげた。

もし離婚したら、《スラッガー》に飲みに来て欲しいわ。うんと、サービスするのに。

「ゲロは？」

三郎の発言に、マッキーは一気に現実に引き戻された。

「ちゃんと掃除したわよ」

「さすがですね」カオルが、拍手する。

「あんた、おちょくってんの？」

「尊敬してます」

だめだ。相手にするだけ無駄だ。

「よし、まず携帯だな」三郎が、小川のズボンを弄《いじ》る。ちょっとうらやましい。

三郎は小川のポケットから携帯電話を取り出し、電源を切ってカオルに渡した。

「預かっておいて」

「はい」カオルは素直に、自分の黒いポーチに小川の携帯を入れる。

次に、三郎は自分の携帯電話の電源を切った。

マッキーとカオルは、自分の携帯電話を車に置いてきた。外部と連絡が取れない設定で、小川を追い込むためだ。

「時計も外したほうがいいんじゃないですか？」カオルが、小川の左腕の腕時計を見て言った。

「そうね。時間がわからないほうがテンパッちゃうもんね」マッキーが、小川の腕時計を外す。シャープなデザインのデジタル時計だ。

「おいおい、大丈夫か？」

「平気よ。とことん追いこまなきゃ」マッキーは、自分のジーンズのポケットに、小川の時計を入れた。「あとで返すからね」マッキーは、意識のない小川に投げキッスを送る。

「他に時間がわかるものはないやろな……」三郎が、小川の体を調べる。「何だ、これ？」三郎は指輪をみつけた。サファイアだ。

「さっき、指輪がどうのって叫んでましたよね？」

「その指輪、須藤陽子のものよ。賭けてもいいわ。小川が彼女にプレゼントしたのよ」

「何でそんなことわかるんですか？」カオルが口を尖らす。

「喧嘩でもして、指輪を投げつけたのよ」

「もったいない」

「あんたもそのうちわかるわよ」

「これは、いらんな」三郎が、指輪を元あった小川のポケットに戻す。

妻に嵌《は》められた上、愛人に指輪を返されるとは……運のない男ね。かわいそう。

マッキーは、憐れむ目で小川を見下ろした。

まあ、自業自得なんだけどね。

「よっしゃ、閉めるぞ」三郎が、管理人の鍵を出した。

さあ、いよいよプレイボールね。マッキーは、大きく息を吸い込んだ。


「お！　気がついたで！　生きとる！　生きとる！　兄ちゃん、いけるか？」

三郎が、普段より強い大阪弁で、小川に話しかけた。年上に見せるキャラ作りのためだろう。異常にダミ声だ。さっそく、カオルが笑いをこらえている。

小川は、寝起きの顔で、眩しそうに目を細めた。たぶん、何が起こったのかわからないのだろう。

『気絶させられた時の前後の記憶が、全部吹っ飛ぶねん。まさに魔法の薬やわ』

マッキーは、《スラッガー》のカウンターでの三郎のセリフを思い出した。

『効かなかったらどうすんのよ？』

『大丈夫。昨日、自分で試したから』

『は？』

『一瞬、誰に気絶させられたか、わからなかったぞ。まあ、自分やねんけど』

『馬鹿みたい。セルフ失神ね』

あの時は馬鹿にしたが、たいしたものだ。なるほど、確かに魔法だわ。これは。

「良かったわ〜。死んだかと思ったで！」

三郎が、ニヤニヤと笑いかける。この時点での、三郎の役目は《親切な不動産関係のおっさん》だ。無精ヒゲを残すように言ったのも、マッキーだ。後で、空き巣とわかった時、リアリティーが出る。

「あの……あなたは？」小川が、怯《おび》えながら質問する。ちょっと、かわいい。

「ここの住人や」三郎が答えた。

「こちらの二人は？」

「このエレベーターで会ったばかり。赤の他人や」

小川順君には悪いけど、結構、快感かも。人を騙すのって。クセになったら、どうしましょう。マッキーは、一人、ほくそ笑んだ。

「おいおい！　あんまり無理したらアカンで！」三郎が、無理やり立ち上がろうとして、ふらつく小川を支える。ちょっと、ずるい。

「もう、大丈夫なんで」

小川は、三郎の手を振り払い、1Fのボタンを押した。

それはそれは必死な形相で。

カオルが、こらえ切れずにクスクスと笑いだした。

青ざめるマッキーと三郎。

何、笑ってんねん！　と言わんばかりに、三郎がカオルを睨む。

小川が、狂ったように他のボタンも乱打し始めた。まるでシャブ中のキツツキのようだ。

カオルが、我慢できずに壁を向いたが、まだ笑っている。

ヤバイ！　早く誤魔化《ごまか》さねば。

「動かへんで」三郎が先に言った。

「閉じ込められたんですよ、僕たち」マッキーも、続けて言った。声が裏返らないように、ゆっくりと、低く。それにしても、《僕》って……。


「何でオカマのままじゃ、ダメなのよ！」

マンションに、向かう車の中で、マッキーは、三郎に食ってかかった。

今回の超能力者の役が、どうしても嫌だったし、自信がなかったからだ。

「アカン」

「何でよ？」

「小川が安心するからや」

「は？　オカマで？」

「そう。テレビでも、昔からオカマタレントが活躍してるだろ。あれはなぜだと思う」

「さあ……考えたこともないわ」

「癒されるんだよ」

「え？」

「オカマには癒し効果がある。実際、俺もお前に救われた」

「どういう意味よ」

「別に意味はない」

車が、マンションに着いたので、それ以上は話さなかった。

意味深なこと言わないでよ……。まあ、サブちゃんに恋することは、もうないから、別にいいんだけど。

せめて、もうちょっとマシな服にしてよね。サイドミラーにチラリと映る自分の服を見ながら、マッキーは車を降りた。

「何があったんですか?」小川が、震える声でマッキーに尋ねてきた。捨てられた子犬ちゃんみたい。

「さあ……」マッキーは、なるべく他人事のように答えた。つらいわ。今すぐ抱きしめてあげたいのに。「突然、エレベーターが止まったんです」マッキーはさらに冷たく言った。

「……マジで?」

「あなたが乗ってきた直後、急降下したんです」

「……マジで？」

「その時の衝撃で、あなたは壁に頭を強く打ちつけて……」

ああしんどいわ。ノンケの喋り方を維持するのって。これで、あっているのかしら。

「気絶したってわけや。すごい音がしたで～」三郎が、助け舟を出してくれた。

そんなマッキーと三郎のやりとりに、カオルが、またクスクスと笑い始めた。小川が、怪しげな目でカオルを見る。

カオル！　いい加減にしなさいよ！

マッキーと三郎が目を合わせた。サブちゃん、フォローお願い。

「マトリックスみたいやったな！」

三郎の素っ頓狂なフォローに、マッキーは凍りついた。

なぜ、今、ここでマトリックスが出てくるわけ？

さすがの、カオルも笑うのをやめた。

小川が、自分の後頭部を気にして触る。

「兄ちゃん、ほんまにマトリックスみたいやったで！」

サブちゃん！　もういいって！

小川が、非常用のボタンを探して押した。

「無駄ですよ」マッキーが言った。サブちゃんには任してられない。早く仕事を進めなきゃ。

「あなたが気絶している間に、僕たちもさんざんやったんです」

ゲロの掃除とかね。

「俺、どれくらい気を失ってました?」

「二十分か三十分くらいやな。よう寝とったで」三郎もいいタイミングで会話に入ってきた。

焦った小川が、必死でドアを開けようとする。

その調子、その調子。早く終わって家に帰らせてよね。お風呂に入りたいのよ。この黄緑の古着、さっきから少し臭いし。

何を思ったか、小川は天井に向かって手を振った。「エレベーターが止まってますよー!」

そのカメラはダミーだってば。

「なんで敬語やねん」

カオルのツッコミに、思わず笑ってしまった。

小川が、腹を立ててズボンのポケットに手を伸ばした。

みるみる顔が青ざめる。携帯電話がないことに気づいたようだ。落ち着きのないプロ野球の監督のブロックサインみたいに、体中のポケットを何度もまさぐった。

「どうしたん？」

「ケータイがないんです……」

「落としたんか？」

うまい。サブちゃんのファインプレーだ。この状況でそう言われれば、誰だって落としたと思う。

「すいません！　ケータイを貸してもらえませんか？　すぐに連絡しなきゃ、やばいんです！」

「兄ちゃん、悪いな。貸してあげたいねんけどな……」

「え？」

「充電、切れてるねん」三郎が申し訳なさそうに、頭を掻きながら、電源を切った、充電たっぷりの携帯電話を見せる。

次は私の番ね。

「ちなみに、僕も持ってませんよ」間髪入れずにマッキーが言った。「コンビニに、行くだけだったんで」

「あの……ケータイ」小川が、カオルに頼んだ。

「捨てた」

「……は？」

「捨てた。もういらんし」カオルも、必要以上の無愛想な表情で、懸命にキャラ作りをしている。

「てことは……」

「外部とは、一切、連絡を取ることができません。密室ってやつです」マッキーが、止めを刺した。

早く諦めてよね。男なら潔く。

「ストックホルム・シンドロームや」

《スラッガー》での打ち合わせ中、三郎が聞き慣れない言葉を言った。

そんな簡単に、小川の本音を録音できるかしら？　というマッキーの問いに、三郎が即答したのだ。

「何それ？　新しい魔球？」

「昔、ストックホルムの銀行で立てこもり事件があって、その犯人と人質の女が恋に落ちたことから生まれた言葉だ。なんと、警察に射殺された犯人の死体に、人質やった女が泣きすがって、離れなかったらしい」

「実話？」

「もちろん。人間は極限の緊張状態に置かれると、目の前の人間を信頼してしまう性質があるんだと」

「じゃあ、イケメンの銀行員がいる銀行で強盗すればいいってわけね」

「その通り。捕まるけどな」

「恋に犠牲はつきものよ」

「カオル、あれは用意したか？」

「はい」カオルが、カウンターにＭＤレコーダーを置いた。

「小川に、《自分はここで死ぬかもしれない》と思わせて、声の遺言を録音させる。

遺言だったら、誰でも嫁さんのことを愛していると言うだろ」

「でも不自然じゃないかしら？　たまたまMDレコーダーを持っているだなんて」

「任せとけって」

三郎が、カッコつけてグラスの氷を鳴らした。


「まあ、助けがくるまで、ゆっくり待とうや。朝になったら、住人が気づくやろ」

三郎が胡坐をかいて、座りこんだ。予定では、次は自己紹介だ。

「そうとも限りませんけどね」マッキーが、小川をさらに脅かす。

マッキーとカオルが常に不安感を煽り、三郎が小川と打ち解ける、という連係プレイだ。

「さすがに、誰かは気づくやろ」

「このマンションには、エレベーターが二つありますよね」

「……あるな」

「ひとつが動いている限りは、誰も気づかないんじゃないですか？」

「ありうるな。こら、えらいこっちゃ～」三郎が、欠伸をしながら言った。余裕のある男を演じているつもりなのだろう。

突然、小川がドアを激しく叩いた。

狂っちゃった？

「助けてくださーい！　エレベーターに、閉じ込められてるんです！　止まってるんです！」

マッキーたちは、顔を見合わせる。

少し、脅かし過ぎたか？

誰もいないフロアとは言え、叫ばすのはまずい。

「助けて！　誰か、警察を呼んでくれー！」

警察は、もっとまずい。

「おい！　兄ちゃん！　大ゴトにすんなや！　そのうち動くがな。おとなしく座っとき」

三郎が床を叩いた。とりあえず、小川を落ち着かせなければならない。

「いつですか？　いつ動くんですか？　俺、こんなとこに閉じ込められてる場合じゃないんですよ！」

「何をさっきからテンパッてるねん？　閉所恐怖症か？」

「違います！　妻が妊娠してるんですよ！」

知ってるって。

「……ほんまか？」三郎が、白々しくにやけた表情を消した。デ・ニーロを敬愛している三郎は、いちいち演技がわざとらしい。

「もう生まれそうなんです。初めての子供なんです！　さっき陣痛が始まったって電話があって、慌ててこのエレベーターに乗ったんです！　俺が、病院に連れていかないと……」

「そら、えらいこっちゃ！」とりあえず、三郎が、驚いた演技で合わす。それにしても、えらいこっちゃって……。コテコテ過ぎるわよ。サブちゃん！

「手伝ってください！」

「何を？」

「ここからの脱出です」

「そりゃ、俺だって早く出たいけど……」

三郎が、困った目でこっちを見る。

見過ぎだってば！

カオルは、相変わらず、壁を向いて職場放棄だ。

「無駄ですよ」仕方なしに、マッキーが説得にかかる。

「やってみないとわからんやろ！」

痛い！　小川が、マッキーの胸ぐらを掴んできた。相当、テンパッている。

《陣痛作戦》失敗か？　やり過ぎたかも……。

「簡単に脱出って言いますけど、具体的には何をするんですか？」マッキーが、苦しさをこらえて、言い返す。

何で私が首を絞められなきゃいけないわけ？

小川が我に返り、やっと手を離してくれた。「俺と一緒に、大声を出してください！」

「大声と言われても具体的に何を？」

「何だっていいじゃないですか！　助けを呼ぶんです！　一緒に叫んでください！」

「お、おう……どうする？」三郎が、またもや、困った顔で見る。

「近所迷惑ですよ」マッキーは冷酷に言った。これ以上、大声を出さすわけにはいかない。

「お願いします！」小川が土下座をした。

「兄ちゃん、土下座なんかやめろって！　ほら、頭を上げて」

三郎が土下座をやめさせようとするが、小川は諦めない。「助けてください！」

「……わかった、やるから」三郎が、承諾した。

何、言ってんのよ、とマッキーが三郎を睨む。

しゃーないやろ、と三郎が睨み返す。

「えー、やるんですか？」

マッキーが抵抗を試みるが、小川は無視して立ち上がった。「ありがとうございます！」

「よし、頑張ろう」三郎が、小川の肩を叩いた。

マッキーが、小川に見えないように、三郎に中指を立てる。

「何て叫ぶんですか？」マッキーが、皮肉をこめて三郎に言った。

「……助けてちゃうか？」

三郎が、アホな答えを返す。この男はいつもそうだ。先のことは何も考えていない。

「シンプル過ぎませんか？」

「他に何があるねん？」

「……じゃあ、やってみますか」

もう何でもいいから、とっとと終わらせてよ。

「お願いします！」小川が、もう一度、二人に頭を下げた。

あーあ。必死になっちゃって。そんなに、奥さんのことが心配なのね。ちょっと、妬《や》けるわ。

「よっしゃ。『助けて』でいくぞ。でかい声出せよ。いっせいのーで」

サブちゃん、でかい声はダメでしょ！

「助けてー！」

マッキーは、なるべく大きい声を出している風に、小さく叫んだ。かなりの高等テクよ、これ。

「もう一回行くで！　いっせいのーで」

まだ、やるの？

「助けてー！」

本当に誰か来たら、どうすんの？　マッキーは、ハラハラした。

「外にどれだけ聞こえてるんやろか？」

「全く聞こえていない可能性もありますよ」マッキーが、目で合図を送った。もう、やめようという合図だ。

「助けてだけじゃ、アカンのかもな」三郎が、何か閃《ひらめ》いた顔で言った。

嫌な予感がする。あの顔はロクでもないことを思いついた顔だ。

「どういう意味ですか？」

「もし夜中に部屋におって、『助けて』だけ聞こえても、実際、助けに行くか？」

「行かないかもしれないですね……」小川が、三郎に合わせる。

「『火事だ！』はどうやろ？」三郎が、得意げに言った。

「は？」

ダメだ、完全に合図を勘違いしている。

「ふざけてるんですか？」マッキーが三郎に詰め寄った。

「ふざけてへんて！　火事のほうが、野次馬根性が刺激されるかと思って。それに、リアリティーがあるやろ？」

何のリアリティーよ。

「じゃあ、次は『火事だ！』でいってみようか。いっせいのーで」三郎の唾が飛ぶ。

「火事だ！」仕方なく合わせる。

「もう一度！　いっせいのーで」

「火事だ！」

「次は『逃げろ！』でいくぞ！　いっせいのーで」

もういいってば！

「逃げろ！」

三郎のアホさ加減に、マッキーは泣きたくなった。

「火事でもだめか……。まだ、リアリティーが足りへんのか。『地震だー』でいくか」

足りないのはあんたの脳みそでしょ。マッキーは、心の中で罵った。これ以上、三郎に任すのは危険だ。こうなったら、小川を怒らせて、止めるしかない。

「虎とかどうですか？」マッキーがすばやく提案した。

小川が眉をひそめる。

いい感じ。早く怒ってよ。

「実話なんですけど、昔、アメリカの動物園で、虎が逃げだしたんです。街中が大パニックになって、警察やら飼育係が必死で探したんですけど、虎は見つからない」マッキーが、ニヤリと笑った。もちろん、全て作り話だ。「結局、虎はどこで見つかったと思います？」

「肉屋！　お腹が減っていたから！」三郎が、クイズの解答者気取りで答えてくる。

あんたはいいから、おとなしくしときなさいよ！

「ブー！」マッキーが、一応、三郎に合わす。

「散髪屋！　虎刈り！」

「ブー！」

お願い。死んで。

「どこだと思います？」マッキーは、直接、小川に訊いた。

「わかりません！　早く教えてください！」小川が、怒鳴った。

よし！　怒ってる、怒ってる。

「とあるビルの、エレベーターです。虎は、なんと、エレベーターでくつろいでいたんです。ずっと檻の中で育てられた虎にとって、狭い空間が一番落ち着く場所だったんですよ」

「なるほど……性ってやつか」納得する、三郎。

「性ってやつです」

どこまで、適当なのかしら、この人。

「虎がおったら、びっくりするやろな」

「でしょ？」マッキーが言った。

わかってる？　小川を怒らすのよ！

「よし。次は『虎だ！』でいこう！」

そう！　それ！

「ちょっと、待ってくださいよ！」案の定、小川が反論した。マッキーの狙い通りだ。

「真面目にやってもらえませんか」

「大真面目にやってるって」三郎が、むっとして言った。

いいわよ。サブちゃん！　もっと怒らせて！

「虎がいるわけないでしょ！」と小川。

いるわけないわよ。

「でも実話ですよ。リアリティーがありますす」マッキーは余計にイラつかせるために、上から目線で言った。

「兄ちゃん、諦めたらアカン」

「諦めてないですって！　でも、虎がこんなところにいる可能性は限りなく低いでしょ！」

「わずかの可能性にかけてみようや。俺たちで奇跡を起こそうぜ」

「え？　言ってること、おかしくないですか？」

「じゃあいくで。いっせいのーで」

「人の話を聞いてます？」

「虎だ！」

マッキーは、今度は、大声で叫んだ。

「おい、何で黙ってるねん」三郎が、小川を睨みつける。

「誰も部屋から出てきませんよ！　虎ですよ？」小川がようやくキレてくれた。

「それは結果論やろ。君のために協力してやってんのに！」

「それなら、もっとちゃんと助けを呼んでください！」

「ちゃんとって、なんやねん！　じゃあ、お前も考えてみろや！　他にどんな動物がおるねん！」三郎が、小川の肩を摑んだ。

ちょっと、あんたがキレてどうするのよ！

カオル、お願い。何とかして！　マッキーは、強引に、カオルを二人の前に押した。

「うるさい」

カオルが、いきなり叫んだ。彼女もヤケクソなのだろう。

「うるさいうるさいうるさいうるさいうるさいうるさいうるさいうるさい」

カオルが、ぬいぐるみを振り回して、叫び続ける。

カオルちゃん……それ、やり過ぎ……。

ぬいぐるみがマッキーの顔面を襲った。メガネが弾け跳ぶ。

「何すんの！」ヤバイ！　思わず、本職の方の悲鳴をあげちゃった。

「大丈夫？」三郎がカオルに声をかけた。何とか喧嘩を収めることはできたが、小川は完全にひいている。

「うるさい」カオルがぼそりと言った。少し照れているのがわかる。

「……誰も助けに来てくれませんね」小川が弱々しい声を出した。

チャンスだ。追い込むなら今よ。

「こんな時間ですからね……きっと、みんな寝ているんですよ」マッキーが小川にわざと時間を意識させるように言った。

小川は、ハッとして腕時計を見る。

何て素直な人なのかしら。

「今、何時ですか？」小川の質問に、もちろん誰も返事をしない。

「もしかして……誰も時計持ってないんですか？」

マッキーは、申し訳なさそうに頷いた。

ゴメンね、本当は私が持ってるんだけど。

「何で持ってないんですか！」

「自分も持ってないくせに」カオルが言い返す。さっきの絶叫で少し、緊張がほぐれたようだ。

「俺はいつも腕時計をしてるんです！　今日はたまたま……」とうなだれる小川を責めるように、マッキーは「その時計とやらは、どこにいったんですか？」と言った。

「たぶん……忘れてきたと……」

「どこに？」

「どこだろう……」

「まあ、とにかく待つしかないやろ」

小川が、床にへたりこんだ。

時計作戦は、思ったより効果があったようだ。

途方に暮れる小川を見て、マッキーは、少し胸が痛んだ。

かわいそうだけど……浮気したアンタが悪いのよ。このエレベーターに閉じこめられてるのが奥さんのリクエストって知ったらどんな顔するかしら？

本当、女って怖いわ。

4

「自己紹介でもするか」三郎が立ち上がって言った。

やっと始まるわね！

マッキーとカオルが目を合わせる。

「自己紹介しようや。このお兄ちゃんのためにも」三郎が、小川の頭に手を置く。ずるい。

「別に……しなくてもいいですよ。何の意味があるんですか？」

「少しでも気が紛れるやろ」

「やりましょうよ。自己紹介」マッキーも、ドサクサに紛れて小川の腕を摑んだ。ちょっぴり胸が高鳴る。

そういえば、最近、全然、恋してないのよね……。

マッキーはしみじみと、ここ何ヶ月かの、男日照りの日々を振り返った。

「富永悦太郎。三十七歳」

三郎が、嘘の自己紹介を始めた。本当は二十八歳だ。マッキーは、段取り通りに三郎に質問したが、頭では別のことを考えていた。好きな食べ物が鯖とかエクレアとか、新宿の殺し屋がどーのとかはどうでもいい。

自然と目が、小川を追ってしまう。

三角座りの小川。

私のせいで、奥さんが苦しんでいると思い込んでいる。許されるなら、今すぐ真実を伝えたい。

小川を見ていたら、あっと言う間に三郎の自己紹介が終わった。

それにしても、なんで《富永悦太郎》なのよ？　三郎の本当の苗字は《安井》だ。

『俺は、この貧乏たらしい名前が大嫌いやねん』

三郎は、酔っ払うと必ずそう愚痴った。そのせいか、三郎はいつも偽名をゴージャスにしたがる。今回も最初は「豪徳寺」と名乗ろうとしたのをマッキーが必死で止めた。

続いて三郎が、マッキーを指名した。

どうしよう？　緊張してるかも。

マッキーはゆっくりと立ち上がった。小川がこっちを見ている。

当たり前よね。狭いんだもん。嫌でも視界に入るわよね。

「牧原静夫と言います」

マッキーが自己紹介を始めた。

この自己紹介の目的は三つある。小川をさらに精神的に追いこむこと。そのために、カオルの自殺、マッキーの超能力、三郎の空き巣を、自然に発覚させることだ。キャラ設定が全然自然じゃないじゃないと、マッキーは抗議したのだが、三郎は受け付けてくれなかった。

正体を発覚させるまでは、どうでもいい自己紹介を続けなければいけない。

マッキーは、小川に、嘘だらけの自分を紹介するのが苦痛だった。《牧原》ではなく、マッキーと呼んで欲しかった。本当は、納豆好きなのよ。そう言いたかった。

三郎が、ニートについて責め始めた。

『嘘の仕事、何にする?』

三郎にそう聞かれて、適当に、ニートでいいよと答えたことを後悔した。こんなことなら、クリエイターとかデザイナーとかカスタマーサポートエンジニアとかにしとけば良かった。

「いい年して、何やってるねん。若いねんから、いくらでも働き口はあるやろ!」

三郎が調子に乗って罵る。いつもマッキーにやり込められている仕返しのつもりだろう。マッキーも言い返そうとしたが、ニートではどうしようもない。

しょうがないよね。仕事だもん。

マッキーは、自己紹介を終わらせ、腰を下ろした。

「小川順です……」

小川が、自己紹介を始めた。当たり前だが、明らかにやる気がない。三郎のどうでもいい質問を、のらりくらりとかわしている。

「二十八歳です」

同い年じゃん！　マッキーの胸がときめく。

「質問してもいいですか？」マッキーが積極的に手を挙げた。

三郎とカオルがぎょっとする。予定にない行動だからだ。

「お仕事は？」

「バーテンです」

「おー！　かっこいい！　シェイカー振れるんですか？」

「まあ……普通に」

私も振れます！

「身長はいくつですか？」

「一八五です」

「結構、ガッチリしてますけど、昔、スポーツか何かやってたんですか？」

「サッカーを……」

「へーえ！　すごいじゃないですか！　ポジションはどこですか？」

「キーパーです」

「かっこいい！　カーンと一緒じゃないですか！」マッキーはカーンしか知らなかったが、気にせず言った。

三郎が、いい加減にしろと咳払いをした。「小川君も、このマンションに住んでるのか？」

「いえ……ここは、同じ店のバイトの子が、住んでいて……」

「遊びに来たんか？　嫁さんが腹ボテやのに？」三郎が、きわどい話題に触れる。マッキーとカオルの目に緊張が走る。

「違いますよ！　今日、送別会があって、その子がベロベロに酔っ払ったんで、送ってきたんですよ！」小川は、早口で嘘をついた。

どんな、男も嘘がヘタだ。でも必ず、男って嘘をつくのよね。

「で、好きな食べ物は？」

三郎が同じ質問を二度したのも、気づいていない。

「そりゃ、もちろん、奥さんの手料理でしょ」マッキーが、台本通りのセリフを言った。後ほど、「超能力」で、チキンカレーを出すためだ。

麻奈美から、前もって、小川の好物であるナスとオクラのカレーのことは聞き出してある。

「やっぱり奥さんのことを愛してるんや」三郎が意味深に言った。

「もちろん、愛してます」

じゃあ、浮気すんなよな。マッキーは、小川に気づかれないように、舌を出した。

『中学時代の三年間、私を苛めた奴ら、無視した奴ら、何もしてくれなかった担任へ。私は、あの世でも、ずっとお前らのことを恨み、呪い続けてやる。私は自分で死ぬんじゃない。お前らに殺されたんだ。この六年間、私という人間がいたことを、忘れていた奴もいるだろう。けど、この声は、お前らの耳に、一生へばりついて離れないよ。

ざまあみろ』

カオルちゃんの声が、エレベーターに響く。

《スラッガー》で、十七回も録《と》り直した、声の遺言だ。よく聞くと、原稿の紙の音が入っているが、三郎は気づいていないので言わなかった。

三郎は、役者志望だったせいか、録音にやたら厳しかった。カオルがちょっとでもセリフを噛もうものなら、すぐにやり直し。挙句の果てには、早口言葉や《外郎売《ういろううり》》までやらせる始末だった。

小川の顔が青ざめている。誰だって、こんなもの聞きたくない。

「……お前らも、ボーッとしてないで説得しろや！」

さあ、そろそろ出番だ。マッキーが気持ちを引き締める。

「君の気持ちもわかるけど……」と言う小川の言葉を、カオルが、ぴしゃりと遮った。ノリノリで自殺少女役を楽しんでいる。「私の気持ちなんてわかるわけないやん。今日会ったばっかりやで」

今だ！

「あの……僕……わかるんですけど」マッキーが、練習を思い出しながら、カオルに言った。

「何がわかるん？」

「あなたの、心の中が……」

「は？　何言ってんの？　あんた、キモイって」

「僕、心がわかるんです。……て言うか、見えるんです」

カオルと目が合う。

ここで、カオルとうまく揉《も》めなければいけない。今回の中で、一番演技力が問われるところだ。

「カオルちゃんは、何で、探偵なんて仕事やってるの？」

マッキーとカオルは、演技の自主練で、何回かカラオケボックスを使った。狭い空間のほうがエレベーターをイメージできると思い、マッキーが誘ったのだ。もちろん、口うるさい三郎は抜きだ。

「家の近くの電柱に、募集のチラシが貼ってあったからです」カオルは、季節のパフェを頬張りながら答えた。

「チラシ？」

「《探偵になりたい人募集》って書いてありました」

「……それで、よく集まったね」

「面接に来たの、私だけだったみたいです」

「やっぱり」

それで採用するのもどうかと思うが……。

「探偵を始めて、どれくらいだっけ？」

「ちょうど、二ヶ月です」

「今回の小川麻奈美の依頼が初仕事か……。楽しい？」

「はい！」

「どういうとこが？」

「いろんな人を演じられるとこです」

「じゃあ、女優になればいいんじゃないの？」

「無理ですぅ。そんなの、恥ずかしいじゃないですか」

どうやら、この子の天然ボケは直りそうにない。

練習に戻ろう。

「本番で、カオルちゃんは、私のことを、キモイって連呼して」

「キモイ……ですか？」

「私の役は、ターゲットの心を読む《超能力者》だから、まず、カオルちゃんとの喧嘩が必要なのよ」

「？」

「とにかく、キモイって言い続けてくれれば、何とかするし」

ここでターゲットを信じ込ますことができれば、こっちのものだ。三郎の「空き巣」にもつなげやすい。

「さあ、もう一度、最初からいくわよ」

「はい！」

カオルは、勢い良く立ち上がった。

なぜ、この子はこんなにノリノリなの？　謎《なぞ》だわ。

「どこを触るの？」

「どこでもいいんですけど……どこがいいですか」

「どこを触ってもいいよ」

「じゃあ、手を握ってもいいですか」

今、マッキーの手の中に、小川の手がある。カオルとの喧嘩がうまくいったのだ。

それにしても、あんなに「キモイ」を連発するとは……。ちょっと、傷ついたわ。

でも、まあ、許そうではないか。カオルのおかげで、小川の手を握れたのだから。

小川順との距離、あとわずか。

男臭い、汗の匂いに、興奮を覚える。三郎の加齢臭とは、えらい違いだ。

マッキーの心臓が、エレベーター内の全員に聞こえるのではと思うほど、激しく高鳴る。まるで暴れ太鼓だ。手の平の汗も止まらない。鼻息も荒くなる。

鼻息よ、止まれ！

マッキーは、目を閉じて眉間に力を入れた。一応、心を覗いているポーズだ。

「《えくぼ》が見えます」

マッキーが、小川麻奈美の写真を思い出しながら言った。

あのえくぼ、絶対にチャームポイントよね。ステキな奥さんだったわ。一体、何が不満だったのかしら？

小川の体が、硬直した。目を閉じていても、小川が驚いているのがわかる。

「何か心当たりある？」測ったようなタイミングで、三郎とカオルが、小川に訊く。

「妻の両頬にえくぼが……」

「……ホンマかいな」三郎が、デ・ニーロのように目をひん剝《む》いて、驚いた顔を作る。

日本人の驚き方ではない。

「良かった……当たってますよね」当ててるわけじゃなくて、知ってただけだけどね。

マッキーは、次のカオルのセリフを待った。

「偶然に決まってるやん！　えくぼが何よ！」カオルが、パスを出した。「他には何が見えるのよ！」

「カレーが見えます。これは……チキンですね」

男は女の手料理に弱い。前もって奥さんの得意料理を教えてもらっていたのだ。

小川は想像以上にうろたえている。

「チキンカレー、食うたんか？」三郎がしつこく訊く。「最近、食うたんか？」

「この一週間で……三回」

小川の返事に、三郎とカオルが顔を見合わせる。

よし、カオルちゃん、ラストのスルーパス頂戴《ちょうだい》。

「私だって、カレーぐらい、しょっちゅう食べてるって！」

「珍しいですね。オクラが入ってるんですか？」

マッキーが、強烈なシュートを放った。小川は、化け物を見るような目でマッキーを見た。どうやら、ゴールが決まったようだ。

「カレーにオクラは入れへんやろ」

「妻のカレーは……入ってるんです」

「信じられへんな……」

「ありえない……」ますますうろたえる小川。

「……おいしいんか？」

「意外と合うんです」

ここで、マッキーはいたずら心を出した。「あと、《陽子》という文字が見えます」

小川の全身から力が抜けた。マッキーが手を離せば、そのまま床に溶けてしまいそうだ。

「嫁さんの名前か？」三郎は、マッキーの予定外の発言に、驚きながらも合わせてきた。

「違います。生まれてくる娘の名前です」

意地悪し過ぎちゃった。マッキーは反省した。小川を急に苛めたくなったのだ。

「牢屋が見えるんですけど」マッキーは、三郎の手を握りながら言った。小川の時のようなトキメキはゼロだ。「もしかして……」

「そうや。俺は昔、捕まってたことがあるねん」三郎は、必要以上のニヒルな顔で言った。「すごいな、ほんまに見えるんや」

なぜ、三郎が役者で芽が出なかったか、わかる気がする。本人には言えないけど。

「マジ？　犯罪者？」カオルが息を弾ませながら言った。さっきカッターナイフを振り回してから、テンションが高い。

「せめて、前科者と言ってくれや」三郎が、渋いつもりの演技を続ける。

「何の罪で捕まったん？」

「何でもええやろ」

「空き巣です」マッキーが強引に三郎の芝居を止めた。

「おい！　言うなよ！」

「だって、見えるんですもん。ベランダの柵を乗り越えて、犬に吠えられている姿が……」

「捕まった時のやつやな」

「ドーベルマンですか」

本当は、トイ・プードルと雑種なのだが。

「まさか、団地のベランダにおるとは思わんやろ。八針縫ったわ」

八針は本当だ。ちなみにマッキーは、お尻を三針縫った。

「もしかして、このマンションにも盗みに入ったのと違うの？」

カオルが三郎を責める。どんどん役が板についてきた。もしかしたらこの子、役者の才能あるかも。

「今は健全な一般市民やって！　ほら、この格好が空き巣に見えるか？」

三郎が自分の着ているスーツを、まるでシェークスピアの舞台の役者がマントを広げるように、カオルに見せた。

間違いなく、こいつよりは、カオルのほうが役者の才能がある。

「疑われないためのスーツじゃないんですか？」という小川の質問に、三郎はビクリと体を震わせてみせて、二秒ほど溜めてから振り返った。

一体、何の間だ。

「お、小川君まで何言ってるねん？」三郎は、腹式呼吸で言った。演劇部じゃないんだから。

「不動産関係って、具体的にどんな仕事ですか？」

「いや……あのな、簡単に言うと土地ころがしみたいなもんや」

土地ころがし……。Vシネマじゃないんだから。

「名刺を見せてくださいよ」

「名刺か……名刺は車に置いてきてるから」

三郎が、目を泳がす。たぶん、今度はスティーブ・ブシェミを意識しているのだろう。

「このマンションに住んでるんですよね？」

「そうや、703や」

「鍵を見せてください」

「え……」三郎が、不治の病を宣告されたかのような顔で、言葉を詰まらす。

「……あるに決まってるやん。鍵がなかったら、一階のオートロックを開けられへんやろ」

「壊れてたで。だからウチも、マンションに入ってこれてんけど」

「最近よく開けっぱなしになってますよね。オートロックの意味がない」

マッキーとカオルが、ほぼ同時に言った。これ以上、三郎の芝居は見たくなかったのだ。

「そうや！　俺はまだ現役や！」

三郎が、シナリオ通りに正体を明かした。ずいぶん気持ち良さそうだ。黒幕は、俺だ！　みたいな感じで、はにかんでいる。

「警察に突き出せるもんやったら突き出してみろや！　まだ、どこにも盗みに入ってないから、何の罪にも問われへんけどな！」

悪役の割には、セリフがショボい。

三郎は、ズボンの中からモンキーレンチを取り出した。本当はバールを用意していたのだが、ズボンの中に納まらなかったのだ。

三郎が、小川を威嚇《いかく》するように、モンキーレンチを振り回す。こっちを見ていない。

ちょっと、危ないって！

モンキーレンチがメガネを襲う。愛用のメガネが壁にすっ飛んで割れた。

「きゃあー！　これ高かったのにー！」マッキーは、オカマ丸出しの悲鳴を上げた。

しまった！　地が出ちゃったじゃないの！

人生最悪の夜だ。マッキーは、自分を嘆いた。ゲロを掃除させられ、五万八千円のメガネは破壊されて、しかも、タイプの男を騙し続けなければいけない。

お祓《はら》いでも行こうかしら。

その時、マッキーの目の前が暗くなった。

え？　停電？　あの……聞いてないんですけど……。

5

「停電や！」三郎の声も、慌てている。本物のハプニングだ。

「おい！　おい！　どうなってんねん！」小川が、泣きそうな声を出した。

マッキーが、誰かの足を踏んだ。「痛!」小川のうめき声が聞こえる。すぐに謝ろうとしたが、オカマ言葉が出そうになって、やめた。この闇の中でオカマの声が聞こえたら、それこそホラーだ。

「何よーもうー!　さっさと死なせてやー!」カオルも怖がっている。

あ!　メガネ!

「メガネ!　メガネ!」マッキーは、わざと声を出して探した。フレームは、まだ生きてるんだから踏まないでよ!

「助けてくれー!」ドアを殴る音と、小川の叫び声。

「落ち着け!　とりあえず落ち着け!」三郎の声。

「触るなって!」と小川。

触ったの?　どこを?

続いてバチン!　と大きな音。

何?　殴った?

「痛いやんけ!　コラ!」

ドスン。ドスンとエレベーターが揺れる。

「何の音？」「え？　何？　どうしたん？」

私たちが、パニックになってどうするのよ！

「おとなしくしろや！」どうやら、三郎が、小川を押さえつけたようだ。「わかってんのか！　おう？」

お願い。順くんを怪我させないで。マッキーは祈った。

小川の嗚咽が聞こえる。

「え？　何？　何？」

「富永さん！　何したんですか！」マッキーは《サブちゃん》と言いかけたが、何とか間違わずに済んだ。もう！　何で《富永》なのよ！

「お前らも、おとなしくしろよ！」三郎が怒鳴る。

あんたが一番、騒がしいわよ！

「ごめんな、小川君」三郎が、小川に謝った。

「こちらこそすいません……取り乱して」

「こういう時って、何よりも人間のパニックが一番怖いから」

ふいに、マッキーの胸の奥に、鈍い痛みが走る。「あの……ものすごく、息が苦しいんですけど」ちょっと、マジで苦しいんだけど……。

「どうした、静夫」

「息ができないんです」

「パニック症状ちゃうか？」

サブちゃん、わかって言ってんの？

「……ですかね？」

「とりあえず、落ち着こう」

「落ち着きたいのはやまやまなんですけど……怖くて……」

「怖いのはみんな一緒や」

あんたのせいで怖いんでしょ！

「何か、自分の好きな歌でも歌ったらどうや」三郎が、またトンチンカンなことを言い出した。

「歌、ですか」

「一番好きな歌は？」

「エルトン・ジョンの《ユア・ソング》です」

ヤダ。私ったら、何マジで答えてんのよ。

「歌ってみろ。気分が落ち着くから」

「え……歌詞がわからないんですけど」

本当は、フルコーラスを空で歌えるが、歌わされるのは嫌なので嘘をついた。

「鼻歌でもええから」

もしかして、自分を落ち着かせたいの？

マッキーは、仕方なく、鼻歌で歌った。

私はアホか？　何が悲しくて、こんなとこでハミングしてるのよ！　いきなり、英語で熱唱してやろうかしら。

サビの寸前で、鼻歌はカオルに止められた。

「ゲームやろうよ」

合図だ。

マッキーは、暗闇の中、《スラッガー》での最後のミーティングを思い出した。

「ゲーム？」マッキーは肩をすくめて訊き返した。

「そう、ゲームや」三郎が鼻の穴をふくらます。

「エレベーターの中で？」

「しりとりとかですか？」三郎がカオルの言葉に反応する。

「うん。最初はそれも悪くないな。そっちのほうがすんなり入れるかもしれん」

「もったいぶらずに言いなさいよ！」

「秘密告白ゲームや」

三郎が説明を始めた。

「俺たちが、勝手に秘密を告白し始めるねん」

「何の秘密よ？　例えば？」

「レイプとか、近親相姦とか、殺人とか」

「は？」

「殺人は、ちょっと無理があるか」

「つまり嘘の秘密ですね」

「カオルの言う通り。俺たちで、小川の《罪》を軽くしてあげるわけよ」

「面白そう！」カオルが、嬉しそうに言った。

どこがどう面白いのだ。この子、ちょっと危ないわね。マッキーは、はしゃぐカオルを見て思った。

「死体処理の話とかどうですか？　私、好きなんですよ！　死体処理もの！」

「……死体処理ものって？」

「映画ですよ。昔、観た映画で傑作があるんです。ある精神科医が、美人の患者さんの診察中にうっかり居眠りをしちゃうんです。そして、目を覚ましたら、患者さんが死んでるんです。ね？　困るでしょ？」

誰だって、困るわよ。

「それで、そのお医者さんは、その死体を処理しようとして、ソファの下に隠したり、ついには布に包んで表に出したら、凍った道路で滑って転んじゃうんです。死体が丸見えになって、車の下にスーッと滑っていったりして、そこのシーンが可笑《おか》しくて、可笑しくて。思いっきり笑っちゃいました。映画館で私だけでしたけど、笑ったの」

カオルがケタケタと思い出し笑いをした。

マッキーは、大丈夫、この子？　という目で、三郎を見る。三郎は、ただ肩をすくめるだけだ。

「でも、秘密としては面白いかもな」三郎が言った。「俺の秘密は死体を隠したことがある……これは、小川もビビるやろ」

「いくらなんでも現実味に乏しいわよ。死体があるってことは、人を殺したってことでしょ？」

「誰だって、人を殺す可能性はある。例えば……」

「例えば？」

「交通事故とか」

「まあ、ね」

「真夜中、誰も目撃者がいない道で、人を轢《ひ》いてしまった」三郎が、物語の導入のように語りだす。「うん、悪くない」

「トランクで、どこにでも運べますしね！」カオルもノッてきた。

「運転手は考える。このままうまく死体を処理できれば……うーん、どうやって？」

「山に埋める！」と、カオル。

「平凡やな」

「ミンチにして、豚に食べさせる！」続いて、カオルが陽気に言った。

「過激過ぎるやろ」

「これも、映画であった手ですよ。ブラッド・ピットも出てます」

「なかなか難しいな。死体処理って」

「そんなに甘くないわよ」

「きっと、いい方法がありますよ！」カオルが、アルプスの少女のような爽やかさで言った。

結局、うまい死体処理の話が思い浮かばず、マッキーは《幼女誘拐》、三郎は《レイプ》、カオルは《放火》で落ち着いた。

「質問があるんだけど」マッキーが、三郎に訊いた。

「何やねん？」

「私たちが秘密を話しても、小川が口を割らなかったらどうするの？」

「その時は」三郎がタバコの青い煙を吐き出して言った。「実力行使しかないな」

「別に秘密なんてないですよ」

小川が明るい口調で言った。明らかに強がっている。

「万引きしたことがあるとか、十五の夜に盗んだバイクで走ったとか、その程度の秘密ならありますけど」

「なめんなよ」三郎が脅しにかかる。

マッキーたち三人は、秘密を語った。次は小川の番だ。

私ったら、あれだけの長セリフをよく言えたもんだわ。マッキーは、ほっと一息をついた。

順くん、素直に話して。マッキーは、小川に伝えたかった。今夜、打つ手はすべて打たれた。残された道はひとつしかない。手荒なマネはしたくなかった。

「誰だってあるはずです。人に言えない秘密が」

「自分だけ逃げられると思ったら大間違いやで」

「だって、本当にないんですよ」

「嘘つくな！　コラ！」

ガインという金属音に、マッキーは驚いた。また、三郎が、モンキーレンチで壁を殴ったのだろう。

サブちゃん、暴走しないでよ。

「話せって！」

「話してください！」

「ずるいで！」

「ないものはないって！」

粘るわね……。何で言わないの？

どう考えても、マッキーたちの作り話よりは、話しやすいはずだ。たかが、浮気ではないか。

「あんたたちみたいな、犯罪者じゃないんだ！」

小川の声が震えている。マッキーは、これ以上、小川を怖がらせたくなかった。

チキチキチキ。暗闇の中、カオルのカッターナイフの音が響く。実力行使のサインだ。

「……すいません。言い過ぎました」

もう遅い。チキチキチキチキチキ。カオルがさらに刃を伸ばす。

「ちょっと、待ってくれって！　絶対、三人の秘密は誰にも言わない！　約束するから！」

「あんたの秘密は？」カオルが、言った。「早く」

早く言うのよ！

「だから！　本当にないって！」

「静夫」三郎が、無理やりマッキーの手を小川の手に持っていく。

「こいつの心を読め」

「おい！　やめろ！　離せよ！」

マッキーは、渾身《こんしん》の力で小川の腕を掴んだ。

「動くな！」三郎が小川を怒鳴りつけた。

小川が、ビクリとして抵抗をやめた。体が小刻みに震えている。

マッキーの体に電流が走った。


私、この男が好きかも。

恋？　これ、きっと恋よね？　もしかして、サブちゃんが言ってたストックホルム
何とか？　えーい、そんなの関係ないわ！　私はこの男に恋した！　それでいいじゃ

ない！

助けなくちゃ。私が、順くんを助けなくちゃ！

「見えました」マッキーが言った。

その時、マッキーを手助けするように、天井の蛍光灯が点いた。

6

「良かった……」

小川は、暗闇から逃れて、安心したようだ。

しかし、三郎の手にはモンキーレンチが、カオルの手にはカッターナイフが握られている。マッキーは二人を止めたかったがどうすることもできず、とっさに折れ曲がったスプーンを手に持つしかなかった。

小川が二人の狂気に気づき、あとずさる。

「全然、良くない」カオルが小川を追いつめる。

順くんが危ない！　もし、順くんが暴れて、ケガでもしたら……。カオルちゃんはほぼ素人同然。一方、カッターナイフの刃は本物。何が起こるかわからない。どうしよう?

「何なんですか!」

小川が、ノラ犬のように吠える。

三郎は、マッキーに、わかってるなという目で合図した。《超能力》で全部ばらしてしまえと言っている。

「静夫。何が見えた?」

「指輪です」

マッキーの返事に三郎が眉をひそめる。期待した言葉と違うからだ。いくらでも証拠はあるだろう? 今さら、浮気相手の指輪を出してどうするんだ? とでも言いたげだ。

「今、ポケットに入っていますね」

マッキーが、三郎を見る。

「ポケットの中を見せろや」三郎は、仕方なしに小川に凄む。

「嫌です。プライバシーの侵害じゃないですか!」

「見せろや！」

「早く」

モンキーレンチとカッターナイフのダブル攻撃に、小川は指輪を出すしかなかった。

「誰の指輪ですか？」マッキーが小川に訊いた。

「……妻のです」

お願い。嘘はもうやめて。

「何で、ポケットに入ってるんですか」

「今朝、家を出る時に喧嘩して……」

「喧嘩して？」

「投げつけられたんです」

マッキーは、真面目な顔で言った。「嘘はやめてください」

「嘘なんかついてない。赤の他人のあんたに、こんな嘘ついても何のメリットもないだろ？」

そう、私たちは、所詮、他人だ。これからも……。

「じゃあ、エレベーターが動いたら、この指輪を奥さんに返していいですか？」

「……困る」

「困る、だって！」カオルが嬉しそうに笑った。

こんな気持ちになるなら、乗らなきゃ良かった。もっと他の出会い方で、小川に会いたかった。

神様のいじわる。

マッキーは、このエレベーターに乗ったことを後悔した。

「麻奈美。君がこれを聞いているってことは……俺は、もうこの世にいないってことになる」

小川が、MDレコーダーに向かって懺悔を始めた。結局、追い詰められて全てを告白したのだ。

これで、良かったのよ。マッキーは自分に言い聞かせた。この録音さえ終われば、全てが解決する。今は、小川に怪我がなかったのが嬉しかった。

「無事に子供は生まれた？　男の子？　女の子？　出産に立ち会えなくてゴメンな。子供のこと、よろしく頼む。……それと、今まで騙してきて悪かった。裏切って……

ゴメン。許してくれ。信じて欲しい。本当に愛しているのは……」

小川が、ハラハラと涙を零《こぼ》す。

マッキーも泣きそうになった。

もらい泣きではない。エレベーターが動き出せば、もう小川と会えないことがわかっているからだ。

さようなら。生まれ変わって会おうね。その時は、私がいっぱい、いっぱい愛してあげる。

「本当に愛してるのは」

ピピピッピピピッ。

最初は何の音かわからなかった。

マッキーは、エレベーターの外からの音だと思った。まさか自分のポケットの中で鳴っているなんて。

細かく刻まれる電子音に、マッキーたちは青ざめた。腕時計のアラームだ！

「何の音やねん！」三郎がマッキーを睨んだ。音を止めろということだ。

マッキーは、頭の中が真っ白になった。

もう少しだったのに。もう少しで、終わったのに。

「せっかくいいとこなのに！　さあ、続けて」カオルが、何とか録音を続けさせようとするが、もう遅い。

ＭＤレコーダーが床に落ちるのが、マッキーにはスローモーションに見えた。

他人の時計だ。止まるはずがない。

「確かに俺は、下りのエレベーターに乗った。どうして、あんたたちも下りのエレベーターに乗ってるんですか？」

小川に完全にバレた。

「あーあ。残念ですね。もう一歩だったのに」カオルが疲れたように伸びをする。

「やってもうた。凡ミスやわ」三郎が悔しがる。

「だから、こんな仕事、嫌だって言ったじゃない！」マッキーは、久しぶりにヒステリーを爆発させた。

私ったら何やってんのよ！　ドジ！

「どうなってるんですか！　何なんですかこれ？　お前ら、さっきから、俺に何してるんだよ！」

マッキーは、哀しい目で小川を見た。

どう説明すればいいのかしら？

自己紹介をやり直す？　オカマのマッキーです。騙してゴメンね。サービスするから私の店に飲みに来てね。って、無理よね……。

時間がかかるのは間違いなかった。

小川は相変わらず怒鳴り散らしている。

「おい！　訊いてるだろ！　何が目的なんだ？　お前ら、一体、何者なんだ？　放火とか、誘拐とか、クロロホルムとか」

「だから、これはクロロホルムじゃないって」

三郎が、瓶を取り出す。

「あんた、自分のやったことわかってんのか？　レイプだぞ！」

「お願いだから、落ち着いて。もう終わったのよ」マッキーは、ありったけの優しさをこめて言った。

もし、奥さんと別れることになったら……その時は、本当に私の店に飲みに来て。

うんとなぐさめてあげるから。

「言えよ！　俺に何をする気だ！」小川が、汚い物を見るような目で、マッキーを見た。

ダメだ。小川は、ガッチリと心の扉を閉めてしまった。ちょうど、マッキーたちがエレベーターのドアを閉じたように。

「サブちゃん」マッキーは、隣の三郎を見た。疲れた顔をしている。「どうしよう？何から話す？」

「一旦、おとなしくなってもらいませんか？……魔法の薬で」カオルが言った。

「どうする？」三郎がマッキーを見た。マッキーは、頷くことしかできなかった。

「仕方ないわね」

三郎が、瓶の蓋を開けるのを見て、小川の目に恐怖の色が浮かぶ。

カオルがカッターナイフを、小川の顔面近くでかまえた。

いい判断よ、カオルちゃん。

何せ、この狭さだ。ヘタに動くと怪我が怖い。

それにしても、カオルちゃん。カッターナイフが、鼻に近いんじゃないの？　グレナデンシロップの甘い匂いがするわよ。

マッキーは、この緊迫した状況で笑いそうになった。

もう《牧原》を演じなくていいだけ、少しは気が楽だ。

やっぱり男になるなんて、私のガラじゃなかったわ。もう二度と男にはならない。

正々堂々オカマとして生きていくわ。

三郎が、ゆっくりと小川に近づく。

「おい！　やめろって！　おい！」小川は、カオルを避け、ドアに向かって叫んだ。

「助けてくれー！」

三郎が、背後に回りこみ、ハンカチで小川の口を押さえる。

ほんの、数秒だった。

小川は、二、三度、足をバタつかせて、糸の切れた操り人形のように、バタリと倒れた。

白目を剝き、口から泡を吹いて、体を激しく痙攣《けいれん》させている。

三郎とカオルの表情を見ても、予想外の出来事が起きているのは明らかだ。

しばらくして、小川は動かなくなった。

え？　死んだ？
息絶えた小川を見て、マッキーは思った。
悪夢にも程があるわ。

第三章　三郎の悪夢

1

やっぱり、エレベーターで監禁は無理があったか……。

で、この死体、どうすんの？

ぴくりとも動かなくなった小川を見て、三郎は思った。

もう一度、小川を確認する。

呼吸なし。脈なし。

ダメもとで、名前を呼んでみる。「おーい……小川君」返事なし。

三郎は目を閉じた。この状況を整理する必要がある。

何が起こった？

俺が殺した？

そうカンタンに死ぬなよ！　頭を強く打ち過ぎたのか？

ああ。気が遠くなりそうだ。

整理できるわけがない。三郎はゆっくりと目を開けた。そうすれば、死体がなくなるかのように。

だが、相変わらず、小川は天井を向いて白目を剝いている。

何で、俺の人生はこんなについていないんだ？　いつから、こうなった？

隣のカオルを見た。放心状態だ。悲鳴をあげないだけマシだ。

マッキーは……。

「順くん！」マッキーが、何を思ったのか小川の死体に泣きすがった。

何やってんだ？　このオカマは！

三郎は、マッキーの突拍子もない行動に、度肝を抜かれた。

「ごめんね！　私のせいよ！　助けたかったのよ！」マッキーが、何度も小川の肩を揺らした。小川の首がカクンカクンと前後する。

ショックのあまり、気でも触れたのか？

「おい！　マッキー！　何やってんねん！」三郎は、マッキーを死体から引き離そうとしたが、ぎゅっと死体を抱きしめて離れない。

「カオル！　手伝え！」

「ストックホルム・シンドロールですよ！」カオルが言った。

三郎は、シンドロールじゃなくてシンドロームやと訂正したかったが、やめた。

今は、それどころじゃない。

「早くしろ！」

「はい！」カオルが、マッキーの右腕を引っ張る。「マッキーさん！　死んでますよ！　小川さんは死んでます！」

「わかってるわよ！　離しなさいよ！　この天然ボケ女！」

二人がかりで、小川の死体に覆いかぶさるマッキーを、文字通り引き剝がした。

マッキーは、ドシンと尻餅をついて、さらに声を張り上げて泣いた。「許して！……嘘つきな私を許して！」

「何で泣いとんねん……」三郎は、膝に手をつきながら、呆れた顔でマッキーを見た。

三郎は高校時代を思い出した。あの時のマッキーは、逞《たくま》しく小麦色に焼け、飛び魚のように、俊敏に内野ゴロを捌《さば》いていた。

人は変わるもんやな。

《スラッガー》で、マッキーと再会した時は心底驚いた。オカマになってるなんて……。いくら何でも変わり過ぎだろ。

自分も人のことは言えんけど。三郎は、小川の死体を見て呟いた。

「この人殺し！」マッキーが、三郎に飛びかかり、首を絞めた。元高校球児だけに、力は強い。

パワーは変わってないやんけ……。三郎は、首を絞められながら思った。

「やめてください！　マッキーさん！」カオルが、マッキーを正気に戻すために平手打ちをする。当たりどころが悪く、ちょうど掌底《しょうてい》のような形で鼻にクリーンヒットした。

マッキーの鼻から、血が噴き出す。

「きゃあ」殴ったほうのカオルが鼻血に驚き悲鳴をあげた。

「何すんのよ！　このバカ女！」

「死体がもうひとつ増えたらどうするんですか！」カオルが縁起でもないことを言った。

マッキーが三郎から手を離し、今度はカオルに摑みかかろうとする。

すんでのところで、三郎がマッキーを押さえた。「落ち着け！　死んでしまったものはしょうがないやろ！」

「サブちゃんが殺したのよ！」

「え？　俺？」

カオルもじっと三郎を見ている。

「俺だけと違うやろ！　お前らも協力したんやんけ！」

「閉じ込めるまではね。直接殺したのは、サブちゃんよ！」

「それで通るなら、今すぐ警察を呼べや！」三郎は、マッキーに自分の携帯電話を突きつけた。「このエレベーターに、殺人犯と死体が乗ってますって言えや！　俺もお前らのことを警察に喋らせてもらうからよ！」

短い沈黙がエレベーターを包む。

ほんの数秒だが、三人ともが、置かれた立場を理解するには十分な時間だった。

「何が魔法の薬よ……」マッキーが深くため息をつく。

「連続して使ったのが、まずかったんですかね？」カオルが、小川の横に転がっている瓶を見て言った。

三郎は《業者》を恨んだ。副作用は、頭痛だけって言ってたのに……。

『わかってると思うけど、何かあっても、そっちのせいやからな。ワシらを巻きこむなよ』ヤクザ丸出しの《業者》の男が、瓶を渡しながら言ってたのを思い出す。チクショー。不良品を売りやがって！

「私も共犯になっちゃうんですか？」カオルが心配そうに言った。

「当たり前でしょ」マッキーがピシャリと言って退ける。

「マッキーさんもですよね？」

「……わかってるわよ。でも主犯はサブちゃんだからね」

「何でやねん！」

「この計画立てたの、サブちゃんでしょ！」

「そうですよ」カオルが、合いの手を入れる。

「計画に《殺す》はなかったぞ！」

「じゃあ、事故として警察に電話すれば？」

三郎が、言葉に詰まる。

ヤバい。ヤバ過ぎる。まさかこんなことになるなんて……。

マッキーが床の瓶を拾い、三郎に押し付ける。「こんな危ない薬を二回も使うなんて何考えてんのよ！」

「予定では一回だ！　お前がアラームを鳴らすから二回も使うハメになるんだろ！」

「勝手に鳴ったのよ！　それに、薬を使えって言い出したのはカオルよ！」

「あの時は、それしか小川さんをおとなしくさせる方法がなかったと思います！」カオルが真っ赤な顔で反論した。

「私は順くんを助けようと」

マッキーは途中で言葉を切った。

遠くでサイレンの音が聞こえたからだ。三人とも、身を硬くして、耳を澄ます。

「パトカー？」

「シッ！」三郎がマッキーを遮る。

「救急車ですね」カオルがほっとしながら言った。

肩の力が抜ける。救急車の音が去って行き、聞こえなくなった。

三郎が、もう一度、小川の死体を見る。

悪夢とはこのことだな。

「とりあえず……どうします？　これ？」カオルが、小川の死体を指して言った。

「どうするも……何も……」

三郎は、頭をフル回転させた。

このまま、死体を置いてエレベーターを出て行く？　ダメだ。管理人に思いっきり顔を見られてるし。

自首する？　どう説明するねん。殺す気はありませんでした。けど、薬を使ってエレベーターに監禁しました……。通用するわけがない。

後は……。

「死体を処理しましょう」カオルが言った。「さあ、教室を掃除しましょう」と言う学級委員みたいだ。

「運良く、このエレベーターには防犯カメラはありません。これはダミーです」カオルは天井の黒い半球体のプラスチックを指した。そんなことは、下調べの段階でわかっていたが、三郎はうんうんと頷いた。

「このエレベーターでの出来事は、私たちしか知りません。うまく死体を処理さえできれば、捕まる可能性はかなり低くなるでしょう」

三郎はマッキーの店での最後のミーティングを思い出した。カオルが話した、死体処理の映画の話だ。

医者が目を覚ましたら、患者が死んでいる。なぜ医者はその時点で、警察に電話しなかったのだろう。もがけばもがくほど、事態は悪くなるのに。

三郎は、自分が暗い坂道の上に立っているような錯覚を起こした。

誰かに背中を押されたら、一気に転がり落ちるだろう。

役者という夢を諦めてから、人生の歯車が狂った。こんなはずじゃなかったのに。そう思いながら、一発逆転を狙い裏の仕事に手を染めてきた。いろんなツケを、今ここで払わされるのかよ。

「マンションの管理人はどこまで知ってるわけ？」マッキーが三郎に訊く。

「ある人間を閉じ込めるとだけ話した」

「そいつも、よくＯＫしたわね？　いくら払ったの？」

「ゼロ」

管理人には多額の借金があった。ギャンブル狂で、闇金にも手を出していた。三郎は、仕事柄、借金苦の人間の心理を熟知している。

「ちょうど知り合いの闇金やったから、管理人の取立てをゆるくしてくれってお願いしてん」

「それだけで？」

「それだけで十分」

それほど、彼らの取立ては地獄なのだ。三郎も借金があるからわかる。その借金を返すために《業者》の仕事を引き受けているのだ。

「このエレベーターから完全に死体を消すことができれば、私たちは疑われなくて済むわけです」カオルは自分に言い聞かせるように言った。

「その消し方が問題やねんけど」

手品のようにはいかないのだ。

昔、テレビで、檻の中の美女が虎に変わる手品を見たことがある。もし、自分がマジシャンなら、この死体を虎に変えるのに。三郎は、半ばヤケクソで思った。

虎のほうがまだマシだ。

「私は手伝わないわよ」マッキーが、小川の死体を愛《いとお》しそうな目で見る。「……順くん、何で死んじゃうのよ……」また、泣き出した。

「そんなに好きだったんですか？」カオルが、不思議そうに訊いた。

マッキーが、こくりと頷く。

「今日、会ったばっかりやんけ！」三郎はマッキーを怒鳴りつけた。

「一目惚れよ！　悪い？　普通に出会いたかった……」

「普通に出会ったら無視されてますよ」

カオルの身も蓋もない言葉に、マッキーが余計に泣きじゃくる。

三郎は、苛立ちを抑えてマッキーに向き直る。まず、こいつを何とかしなければ。

三郎は、マッキーの目をじっと見据えて言った。「マッキー、捕まりたいのか、捕まりたくないのか、どっちや？」

「捕まりたくないに決まってるでしょ！」

「なら泣くのをやめろ。泣くのはいつでもできる。それとも、ずっとブタ箱の中で泣き続けるか？」

マッキーが、泣き顔をクシャクシャにしながら、首を横に振った。

マズい。このままじゃ、マジで刑務所行きだ。三郎は救いを求めるようにカオルを見た。

「死体を処理した後に、ゆっくり泣けばいいじゃないですか」カオルが、無意識に恐ろしいセリフを言う。

「わかった。頑張る」マッキーが、泣くのをやめた。

2

「考えなければならないことは、三つあります」カオルが、指を三本立てて言った。

「ひとつ目は、小川さんをどこに捨てるか？」

「死体って言って。辛いから」マッキーが、鼻をすすりながら言った。

「死体をどこに捨てるか？」カオルが言い直す。

「二つ目は？」三郎が話を先に進める。

「二つ目は、どうやって死体をそこまで運ぶか？」

「車しかないやろ」

「車までどうやって運びます？」

三郎の車は、マンションに一番近いコインパーキングに停めてある。マンションの入り口まで車を持ってくるとしても、そこからが問題だ。深夜とは言え、誰にも見られずに死体を運べるだろうか？

「三つ目は何よ」マッキーがカオルに訊いた。

「アリバイ作りです」

「誰の？」

「私たちに決まってるじゃないですか。このエレベーターに小川さんと乗ったことは奥さんが知ってるでしょ」

三郎は思わず声をあげそうになった。バレバレじゃないか……。

脇の下が汗でビッショリと濡れる。考えれば考えるほど最悪の結果が自分を待っているような気分になる。

「死体が見つかったら、真っ先に疑われますよ」

「まいったわね……タバコ吸っていい？」マッキーが、ジーパンのポケットからメンソールのタバコを取り出した。「サブちゃんも吸ったら？」

三郎はマッキーから一本貰った。普段ならメンソールなど吸わないが、自分のタバコは小川を待っている時に切らしてしまった。マッキーに火をつけてもらい、煙を吐き出した。みるみる紫の煙がエレベーターの中に広がる。

慎重にならなければならない。死体が見つかれば、完全に破滅だ。ガキの頃からそうだ。何をやってもうまくいかない。野球も役者も仕事もみんな中途半端。ちゃんとした結果が出たことがない。『他人《ひと》様に迷惑さえかけなければいいわ』いつか、母親が俺にそんなことを言ったっけ……。集中しろ！　今はこの死体を消すことだけを考えるんだ！

「カオル」

「何ですか？」

「死体が見つからなければどうなる？」

「行方不明扱いでしょ」

「妻に浮気がバレていたことを知り、ショックのあまり失踪、ていうのはどう？」三郎は、とりあえずのアイデアを出した。

「ありえなくはないわね」マッキーが頷く。

「見つかりさえしなければ、疑われずに済むだろ？」

「絶対に見つからない死体処理の方法を考えなくちゃ」

チクショウ！　それが一番難しいって！

「やっぱり、豚に食わせる、ですかね」カオルが言った。

「豚はどこにいるのよ」

「牧場とか」

「バラバラにした死体を持って行って、オタクの豚ちゃんのエサにどうぞって渡すの？」マッキーが、皮肉っぽく言う。

「バラバラじゃダメです。ミンチです」

「どっちでも一緒よ！」

「マッキーの言う通りや。俺たちができる範囲での死体処理を考えな」

「となると、山に埋める……ですかね」カオルが提案する。

「どこの山」

「なるべく人里離れた」

「ニュースで、しょっちゅう見つかってるイメージがあるんだけど」マッキーが心配そうに言った。

「私に言わせると、中途半端なんですよね」カオルが熱を込めて言った。「側道にポンと捨てたり、埋めたとしても穴が浅かったりで、あれでは見つけてくれと言わんばかりですよ。たぶん、死体を捨てる途中で怖くなるんでしょうね」

三郎は、活き活きと語るカオルを見て思った。

こいつ、死体に遭遇したくて、探偵の職を選んだんじゃないだろうな？

三郎の事務所に、カオルが初めて現れたのは二ヶ月前だ。

ちょうど昼時で、三郎はテレビを見ながら、インスタントの焼きそばをすすっていた。

「あのぅ。お食事中、すいません」

事務所の玄関に女の子が立っていた。依頼人かと思ったが、どうも違うらしい。この汚いビルを訪れるには若過ぎる。どこをどう見ても就職活動中の女子大生だ。

「何？」三郎は、わざとぶっきらぼうに答えた。

「募集の広告を見たのですが、面接をしていただけないでしょうか？」

どうやら、下の階の消費者金融と間違っているようだ。

「うちは探偵だよ」

「はい！」カオルが顔を輝せて元気よく返事をした。

「え？」三郎は口の中の焼きそばを慌てて飲みこんだ。

「アポを入れてからと思ったのですが、電話のほうが……」

「もしかして、止まってる？」

「はい！」

「マジ？」

どうりで、依頼の電話がないはずだ。

女の子が白い封筒を差し出す。「履歴書を持ってきました」

「そりゃ、どうも」三郎は、その場で履歴書を取り出し、目を通す。

《愛敬香。二十一歳。女子短卒。車の免許アリ。趣味読書。アガサ・クリスティーなど》

「愛敬って、珍しい名前やな」

「はい。私は決して愛敬があるほうではないんですけども」

三郎は、女の子のガチガチに緊張した返事に、思わず笑ってしまった。

「アガサ・クリスティーの中で一番好きなのは？」

「はい。もちろん、名探偵ポアロです」

三郎は軽く頷き、机の上に、引き出しの中身をひっくり返した。ガラクタの山から電話の料金請求書を見つけ、財布と一緒に女の子に渡した。「コンビニで払ってきて」

「え？」女の子が目を丸くする。

「初仕事や。カオルちゃん」

「死体処理は、徹底すれば見つかるわけがないんです。ミンチにして、コンクリートに練りこむとか」

三郎は、目の前で熱弁を振るうカオルが、あの時の女の子と同一人物とは思えなかった。

「だから、ミンチはNGだってば。順くんがあまりにもかわいそうでしょ。それに、一生ハンバーグが食べられなくなっても困るし」マッキーが吐きそうな顔で反論する。

「死体をそのまま埋めるなら、ものすごく深い穴が必要ですよ。掘れますか？　ショベルカーでもあれば別ですけど」カオルも負けじと言い返す。

「ねえ、海にしない？　そっちのほうが簡単そう」

「船がいりますよ。海に捨てるなら沖です」

八方塞がりだ。山もダメ、海もダメとなると……。

「どう頑張っても死体が見つかるってことね」マッキーが、両手を挙げて言った。

「そうなんです。だからアリバイが必要になってくるんですよ」

カオルは、一呼吸、間を置いて言った。

「見つかることを前提に、死体を処理するんです」

カオルの言う通りだ。いつか死体は発見されるだろう。三郎には、小川をミンチにできる手段も度胸もなかった。

「アリバイって言われてもねえ。私、サスペンス嫌いだし」と言うマッキーに、カオルがムッとする。

「どこが嫌いなんですか？」

「だって、犯人がすぐわかっちゃうもん。どうせ、一番怪しくない人が犯人でしょ？意味のないお色気シーンも出てくるし。温泉ばっかりだし」

いんですか？」

「ドラマだけで判断しないでください！　マッキーさんは、ミステリー小説は読まな

「オカマは何かと忙しいのよ。男が女になるんだから、一日の半分がメイクとメイク直しよ。本を読んでる暇なんてないの」

「アガサ・クリスティーもですか？」

「誰それ？　アガシなら知ってるけど」

「男だし、それはテニスプレーヤーだ」三郎が、マッキーを窘《たしな》めるように言った。普段、皮肉攻撃が全く効かないカオルが、珍しくイラついているので、マッキーは喜んでいる。まったく、こんな時に。

「信じられない！　ミステリーの女王ですよ！」カオルが顔を真っ赤にして言った。

「その前に、サスペンスとミステリーって何がどう違うわけ？」

「ハラハラするのがサスペンス。謎を解くのがミステリーです！」

「オカマの日常そのものじゃない。いい男が店に来たんだけど、どうしましょう。ゲイかしら？　ノンケかしら？　ほら、サスペンス&ミステリーよ」

「一緒にしないでください！　冒瀆《ぼうとく》です！」カオルが怒鳴った。こんなにヒステリッ

クなカオルは初めてだ。

「一冊でいいから、アガサ・クリスティーを読んでください。絶対にハマりますから！」

「本当に面白いの〜？」マッキーは、完全にカオルを手玉に取っている。「お勧めは？」

「ポアロ・シリーズです」

「ポーアーロー？」マッキーが、壊れたオルガンのような声で言った。「それ名前？」

「『そして誰もいなくなった』から読ませたほうがいいぞ」三郎が助け舟を出す。

「あら、サブちゃんも本読むの？　意外！」

「まあな」

三郎は、読書をデリヘルのドライバー時代に覚えた。毎日、デリヘル嬢を客の家まで送り、車に戻って来るまでの小一時間が、あまりにも暇だったのだ。そこで、探偵物にハマリ、馬鹿なことに、自分でも探偵業を始めたというわけだ。

「そうですね。『そして誰もいなくなった』は名作中の名作ですもんね」

「どんなお話？　面白そうだったら読んであげる」

「密室物の傑作です。ある島に十人の人間が集められて、一人ずつ殺されていくんです」

「ちょっと待って」

マッキーが、カオルの話を途中で止めた。また、おちょくる気だ。

「島？　全然、密室じゃないじゃん？」

「定義で言えば密室なんです」

「逃げようと思えば、逃げられるじゃん！　いざとなったら、海に飛び込めばいいわけだし」

「屁理屈はやめてください！」

「オカマの定義は屁理屈を言うことよ」

二人のやりとりを見ながら、三郎はぼんやりと考えた。

こいつら、アホじゃなかろうか。本物の死体を横にして、何の話してるねん。状況をわかってんのか……。

マッキーの連続攻撃に、カオルは目を潤ませている。

カオルのやつ、マッキーに苛められてかわいそうに。確かに島は完全な密室ではないよな。密室っていうのは、このエレベーターみたいに……。

密室？

三郎は、小川の死体を見た。

ポケットの中から、管理人の鍵を出す。

ある閃きに、三郎はぶるっと体を震わせた。

もし、止まっているエレベーターに、死体だけが乗っていたら？

「おい！　お前ら！」

三郎の、興奮した口調に、二人は言い合いをやめて、同時に顔を向けた。

「俺ら、助かるかもしれんぞ」

3

雑巾みたいな男やな。

——小川を閉じ込める十時間前。

三郎は、マンションの管理人室で、望月を見て思った。

管理人の望月は、上下ネズミ色のジャージを着ていた。小学校の頃、教室の隅に干されたカピカピの雑巾そっくりだ。小汚くて、臭くて、誰からも相手にされない。年齢は知らないが、たぶん五十は超えているだろう。ギャンブルに溺《おぼ》れ、酒に溺れ、借金で窒息しそうになっている男。だが、掃除の時は雑巾を使うように、こんな男にも、まだ利用価値はある。

「次の日の朝までには、必ず返してくださいよ」望月は、ジャージのポケットからジャラジャラと鍵束を出しながら言った。「返す時は、ドアの郵便受けにでも放りこんどいてください。わし、早寝早起きなんで」

鍵束からエレベーターの鍵を取り分けて、憮然とした態度で三郎に渡す。少しくらい謝礼を貰えるものと思っていたのだろう。三郎が、闇金の取立てを延ばしてあげたことを告げた時は、涙を浮かべて歯の浮く感謝の言葉を半ダースは並べたくせに。

信用できないな。三郎は、望月を見ながら思った。さっきから、チラチラとカオルばかり盗み見している。

「これですか？」

望月は、小指を立てて言った。

下衆《げす》い。マンションの管理人にしておくにはもったいない男だ。今度、風俗の呼び込みの仕事でも紹介してやろうか。

「秘書だ」三郎が、素っ気なく答える。この男と会話を続けるのは時間と人生の無駄だ。

「秘書？　儲かってまんなー。わしも探偵やろかいな」望月が、黄色い歯を剝き出しにして、キシシッと不快な笑い声をあげた。

「カオル、帰るぞ」三郎は、腰を上げた。吐きそうだ。

望月の息も臭いが、部屋も臭い。管理人室と言っても、望月が住まいとして使っているだけの、ただの2LDKだ。三郎の前のキッチンテーブルには、発泡酒の空き缶とコンビニ弁当の残骸が散乱している。流し台には、カップラーメンの残骸が山積みになっている。襖《ふすま》の向こうは寝室だろう。隙間から、湿った空気がこちらまで流れてきそうだ。

帰ろうとした三郎を、カオルが止める。

「防犯カメラのことは聞かなくていいんですか？」

そうだった。危うく大事なことを聞き忘れるところだ。カオルはいつでも冷静だ。この匂いが臭くないのだろうか？

「あれはダミーですから、安心して監禁してください。覗きやしませんって」また、黄色い歯を出した。もう限界だ。帰ろう。

「注意事項がありまんねや」望月が、三郎たちを呼び止めた。また、カオルのスカートから伸びる足をチラリと見た。

「何やねん」三郎は、イラつきを隠さず言った。

「もし、なんかのトラブルでほんまにエレベーターに閉じ込められたら、わしのケータイに電話してください。教えた通りにやれば問題ないと思いますねんけど、なにせ機械のことやから。鍵はもうひとつわしが持ってますから」

「外から開けられるのか？」

「当たり前でんがな。中からしか開けられへんかったら、災害の時どうやって助けますの？　自力でっか？」

マッキーが、困惑した顔で言った。

「待って。意味がわかんないんだけど。もう一回最初からお願い」

三郎が、繰り返し説明をする。

「だから、このエレベーターは、外からも開けられるねんて！」

気づきにくいが、エレベーターのドアを外側から見ると、左上に鍵穴がある。望月の話では、その鍵穴を回すと、ドアは手で開けることができるのだ。

三郎は、管理人室からの帰り際、鍵穴の位置を確認していた。何気に見ただけだった。へーえ。こんなとこにあるのか。それだけの感想だ。その時は必要のないものだと思っていたからだ。

「外から開けられるってことは、外から閉められるってことやろ？」

三郎は続けた。自分でも興奮しているのがわかる。

「めっちゃ簡単なことやっててん！　死体をエレベーターに残したまま、俺らは外に出る。鍵を閉める。密室の出来上がりや」

「そんなにお手軽に密室作っていいのかしら」マッキーが目をパチクリとして言った。

「わざわざ難しくしなくてもいいんだよ。名探偵は登場しないねんから」

三郎が自分を納得させるように言った。

大丈夫。助かる。きっとうまくいく。

「警察も、単なるショックによる事故死として片づけてくれるんちゃうか？　停止したエレベーターには死体しかないねんから！」

「サブちゃん、頭いいじゃない！　まるで探偵みたいよ！」

探偵なんだよ、と言い返そうとしたがやめた。自分で言うのも恥ずかしかったし、それに、小説の探偵たちは人を殺さない。

「小川さんの奥さんにはどう説明するんですか？」カオルが言った。ミステリーファンとしては、そう簡単に納得できないのだろう。

「普通に報告したらいいんちゃう？……旦那さんの本音は録音しましたけど、陣痛の嘘はバレました。怒り狂って、今は愛人の部屋にいます。こんな感じでどう？」

カオルが首を捻る。まだ納得できないらしい。

「もちろん、その奥さんへの電話は、俺の事務所からかけるねん。これでアリバイもできるやろ？」

「まだ、不完全だと思います。エレベーターで死体が見つかる以上は、奥さんは私たちを疑いますよ。それに、住人も怪しむと思います。三階以外は《点検中》の張り紙が貼ってあるわけですし。その中から死体が見つかれば、最初から誰かが隠していたみたいじゃないですか」カオルがスゴ腕の弁護士みたいに早口で言った。

「それは問題ない。死体が見つかるのは、もうひとつのエレベーターにする」

「となると、エレベーターを二つともストップさせるんですか？」

「……そういうことになるな」

「リスキーだと思います」

「死体処理自体がリスキーだろ……」

三郎も、だんだん不安になってきた。勝った、と思った将棋が、途端に相手の王手の連続で追い込まれていく感覚に似ていた。

マッキーは、テニスの審判のように首を左右に振って、三郎とカオルのやりとりを見ている。

「エレベーターが使えないとなると住人たちは騒ぎだしますよ。その分、死体が見つかるのが早まります」

「……早まるな」

「その分、私たちが、このマンションから逃げる時間とアリバイを作る時間が短くなります」

マッキーが、カオルの意見に頷きだした。形勢不利ってやつだ。

三郎はムキになってきた。カオルの冷静な口調に、なんだか小馬鹿にされている気分だ。

「アリバイなら……今、作れる」

「どうやって？　どうやって？」

マッキーが、ここぞとばかりに割り込んでくる。蚊帳《かや》の外だったのが、不服だったのだろう。

「どうやるんですか？」カオルが言った。やれるものならやってみろ、という目だ。

「小川の携帯を貸せ」三郎が、カオルの肩に下がっている黒いポーチを指した。

カオルが、預かっていた小川の携帯電話を取り出して、三郎に渡す。

三郎が携帯電話の電源を入れる。

「誰に電話するわけ？」

マッキーが、興味津々に三郎の手元を覗き込む。

「電話じゃない、メールだ」

「メール？　誰に？」

「小川さんの奥さんですね」カオルに先に言われてしまった。

「何て打つの？」

何て打とう？　まだ夫が生きていると思わせなければならない。まさか、死んでいるとも思ってないだろうけど。

三郎は、小川の携帯のアドレス帳を開き、《麻奈美》の文字を探す。

あった。

三郎は、急いでボタンを押し、文章を作る。

「君には失望した」マッキーが、声に出して、携帯電話の画面を読んだ。「絵文字はいいの？」

「入れないだろ！　こんな時に！」三郎がマッキーを睨む。

「あら、私はどんな時でも、絵文字は入れるけど」

「そうですよ、小川さんのメールの文章を確認したほうがいいですよ。文章にも、人それぞれクセがありますから」カオルが、三郎に忠告する。憎たらしいぐらい冷静だ。

三郎が、送信ボックスを開き、小川のメールを見る。

人のメールを勝手に見るのは、いい気分ではない。許可を取りたくても、本人が死んでいるのだから、勝手に見るしかないけど。

三郎は、以前に新聞で、学校の教師と生徒がメールで交流しているという記事を読んだことを思い出した。その時は、ゲッ、気持ち悪いなと思ったが、よくよく考えると、今の時代、口から出る言葉より、ケータイに打つ言葉のほうが素直なのだ。ただし、どうでもいいような言葉が、素直な言葉の一千倍は溢れているが。

もしかすると、小川の本音はここにあったかもしれないな……。三郎は、携帯電話のジョグを回しながら思った。

「そろそろ帰るね〜。カレーまだ残ってる？」マッキーが、また携帯電話の画面を読む。「これ、いつのメール？」

「昨日の夜」

「今日の夜のメールは？」

「ない。送別会があったからな」

「浮気相手が近くにいたから、打てなかったのね」マッキーが、小川の死体を一瞥《いちべつ》して言った。

他愛のないメールが続く。ほとんどが《麻奈美》に送信されている。数も少ない。どうやら、小川は、頻繁にメールを打つタイプではないようだ。

「《陽子》のメールは全部消してあるわね、これは。少な過ぎるもん」

そういう推理は、マッキーの得意分野だ。

「全然、絵文字を使ってないわね」

「使ってないじゃなくて、使えないんだよ」

「なんでわかるのよ」

「俺もそうだから」

三郎は、メールが嫌いだ。と言うよりも、携帯電話そのものが嫌いだった。

「小川さんは、奥さんのことを、一度でも《君》と呼んだことがありますか？」

三郎がメールの文を確認する。

「ないな」

「じゃあ、《君には失望した》では不自然ですよ」

「《君には》を省くか？」

「《失望した》だけ？　そっちのほうがよっぽど不自然じゃない？」マッキーが反論する。

「他に何かあるか？」

「そうね……」マッキーが、横たわる小川を見て言った。「順くんなら、まず、謝るんじゃない？　絶対に、奥さんと子供のところに戻るわよ。浮気相手の部屋には行かないわ」

「でも行ってもらわないと困る。じゃなきゃ、俺たちから真相を聞いた後、このエレベーターに乗る理由がないからな」

「こういうのはどう？《探偵さんたちから全てを聞きました。本当にごめんなさい。麻奈美の愛に気づかず、浮気していた俺を許して欲しい。そう簡単に許すことはできないだろうけど……。陽子とは、今すぐ別れてくる。これからのことは帰ってから話し合おう》」

なるほど、悪くない。

だてにオカマはやってない。俺よりも女心はわかっている。三郎は、マッキーを尊敬の眼差しで見た。

「カオルは、どう思う？」

「小川さんは、奥さんのことをメールで《愛してる》って言ったことがあるんですか」

「見た限りでは、なかったな」

帰宅の時間や、晩御飯のことや、仕事関係の内容ばかりだった。

「マッキーさん、《愛》は省いてください。白々しいです」

カオルの思いつめた表情に、三郎は不思議な感覚を覚えた。カオルにも、女としての一面があるらしい。

「じゃあ……《麻奈美の想いに》でどう？」

「いいんじゃないですか」カオルも納得したようだ。


三郎は、小川の携帯電話で、マッキー作のメールを、麻奈美に送信した。

マッキーが、腕時計を小川の左腕につける。また、涙ぐんでいる。

三郎は、携帯電話の電源を入れたまま、小川のズボンのポケットに返す。

「さあ、あとは《誰でもできるお手軽密室》を作るだけね」マッキーが、小川への想いをふっきったように、おどけて見せた。

三郎は、鍵を使ってエレベーターのドアを手動に切り替えた。

ゆっくりと開ける。

三人の間に緊張が走る。住人がいない八階とは言え、エレベーターの床には死体が転がっているのだ。もしものことを考えて、サッカーのフリーキックのディフェンダーのように三人で壁を作る。誰かに見られたら、そこで試合終了だ。

涼しい風が、エレベーターの中に入ってくる。久しぶりの外の空気だ。

誰も、いない。

三人は、急いで、外に飛び出してドアを閉めた。

三郎は、ドアの左上の鍵穴を確認する。鍵穴を廻せば、密室の完成だ。長かった夜も、これでようやく終わる。

三郎は、鍵を鍵穴に差し込もうとした。

入らない。

無理やり鍵を押し込もうとするが、無駄な努力だった。

「どうしたの？」マッキーが、心配そうに声をかける。

「鍵が違う」

「え？　どういうこと？」

「もうひとつ、別の鍵がいるみたいだな……」

「その、鍵はどこよ！」

「管理人室だ」三郎は、望月の黄色い歯を思い出しながら言った。

「全然、お手軽じゃないですね」カオルが言った。

4

さて、どうしたものか。

三郎は、管理人室のドアの前に、モンキーレンチを持って立っていた。

マッキーとカオルは、エレベーターで待機している。もちろん、小川と一緒に。

もうひとつの鍵を手に入れなければ、密室は作れない。しかも、望月に気づかれずにだ。わざわざ、エレベーターのドアの鍵を借りておいて、中から死体が発見されましたじゃ、アリバイもへったくれもない。

三郎は、頭の中で、もう一度手順を確認する。

まず、望月に気づかれずにエレベーターのドアの鍵を盗み出す。エレベーターに戻り、死体を残したまま外から鍵を閉めて密室を作る。望月に気づかれずにエレベーターのドアの鍵を返す。最初に借りた鍵を、管理人室のドアの郵便受けに入れる。逃げる。

無理やろ。思わず、自分にツッコミを入れた。そもそも、どうやって、鍵を盗み出すねん。

携帯電話で時間を見る。午前三時四十八分。望月は寝ているだろうか。

三郎は、管理人室のドアノブを引いた。鍵が閉まっている。都合良く開いているわけがない。

モンキーレンチを見る。どうやって、使うねん。

はたから見ると、完全に間抜けな空き巣だ。

部屋に忍びこむのはあきらめろ。作戦変更。正面突破でいってやる。

三郎は、モンキーレンチを背広の内ポケットに隠し、管理人室のインターホンを押した。

「何ですの？」望月が、迷惑そうな顔でドアを開けた。

どうやら、まだ寝てはいなかったようだ。前と同じネズミ色のジャージを着ている。鍵束も持っているのだろうか？　三郎はジャージのポケットに目をやるが、見ただけではわからない。

「……朱肉を貸して欲しいんだけど」三郎は、咄嗟《とっさ》に嘘をついた。

「は？　朱肉でっか？　何に使いますの？」

息が酒臭い。軽く酔っているようだ。

「今、エレベーターに監禁してる奴にハンコつかしたいんやけど、朱肉のインクがないねん」望月が、ジロジロと三郎を見る。「そいつも借金してるんでっか？」

「まあな」

「何のハンコですの？」

「お前には関係ないやろ。どうしても借金を返さない奴から、絞り取る書類だよ」

望月が、怖い怖いと大げさに肩をすくめる。

もちろん嘘だ。そんな便利なものがあったら、全国の闇金たちが大喜びするだろう。

「わざわざエレベーターに閉じ込めて、取立てでっか。こんな夜中までご苦労さんですな」

「最近、ポリが厳しいからな。合法的監禁ってやつだ」

「まさか、そいつも自分が住んでるマンションのエレベーターで監禁されるとは夢にも思ってなかったでしょうな」

「まあな」

望月は、住人だと思い込んでいる。好都合だ。

「なるほど。でも、肝心のハンコが取れんかったら、意味ないでんな」望月が、取引するような目で三郎を見る。

「ないのか」

「あるとは思いますけど……部屋が散らかってますやろ？　朝早くからマンション前を掃除せなアカンから、早く寝たいし、それに……風邪気味でんねん」望月が、わざとらしく咳き込んでみせた。

ようするに、金を払えということだ。

三郎は、ムカムカして、望月の頭をモンキーレンチで殴りたくなったが、我慢した。

目的は鍵だ。

三郎は、渋々、財布から五千円札を出した。「風邪薬代だ」

「おおきに」望月は金を受け取り、黄色い歯を見せた。

「ちょっと、待っててくださいよ〜」

望月が、ガサゴソと朱肉を探して寝室を漁《あさ》っている間、三郎は、管理人室の玄関先で待った。

どこだ？

鍵束は見当たらない。三郎は、部屋の中を見渡すが、缶ビールや弁当やカップ麺の残骸が増えただけだ。そっと、靴のまま台所に上がり、冷蔵庫の上を見る。ない。やはりジャージのポケットだろうか。

襖の向こうから、望月の声が聞こえた。「停電のタイミングはどうでした？」

予想外の言葉に三郎は耳を疑った。慌てて玄関まで戻る。寝室から、望月がぬっと顔を出す。

「……停電って？」

「何、言うてますの。あれ、わしがやったんですよ」

こいつが？　何で？　どこまで知ってるんだ？

「追い込みたかったんでしょ？　あの男を」

襖の間から、テレビのモニターがチラリと見えた。望月が、三郎の視線を気にして、襖を閉める。

三郎は、エレベーターの天井にあった黒い半球体を思い出し、愕然とした。

あのカメラは、ダミーじゃなかったのか？

「あんな狭いエレベーターが真っ暗になったら気が狂ってしまいますわ。わし、こう見えても閉所恐怖症ですねん」望月がキシシッと笑った。

こいつ、全部見ていたのか？

望月は、相変わらずニヤニヤしている。呆然としている三郎の顔を見て、また笑いながら言った。もちろん、黄色い歯を見せて。「誰にも言いませんって」

三郎は、こめかみが強く脈打つのを感じた。

こいつ、知っている。今夜、エレベーターで何があったかを。口の中がカラカラだ。

唾を飲みこもうとしても、一滴も出ない。

望月は、目をひん剝き、大声で笑った。

一生、こいつに金をたかられるのか……。きちんと下調べをせず、望月のダミーという言葉を信じたことを後悔した。

首から下がふわふわと浮いている。夢の中をさ迷っているようだ。

あの時と同じだ。

三郎は、高校野球の最後の夏を思い出した。

地区予選で、三郎たちの学校は快進撃を見せた。ベスト4をかけた一戦。相手は優勝候補で、甲子園常連の私立の強豪だった。九回裏まで、三郎たちが2—0でリードしていた。2アウト、ランナーなし。ベンチや応援スタンドは、勝利を確信して、半ばお祭り騒ぎだ。「これに勝てば甲子園も夢じゃない」誰もがそう思っていた。

ボールカウントは2—2。次で勝負だ。キャッチャーのミットが、内角にかまえる。バッターは、三振だけはしまいと、極端にバットを短く持っている。右打者だ。

こっちに打ってこい。

ショートの三郎は腰を落とし、グラブを地面につける。

ピッチャーが振りかぶり、腕をムチのようにしならせた。渾身のストレートが内角をえぐる。

詰まった！　ボテボテのショートゴロだ！

「ショート！」守備陣が一斉に声をあげる。

三郎はボールに向かって最短距離を猛ダッシュし、ゴロを捌いた。一塁方向にステップを踏み、スローイングの体勢に入る。

勝った！

その時、視界の端にセカンドの牧原が入った。牧原は笑顔を零し、三郎に白い歯を見せた。

ファーストが地面を蹴った。空を見上げる。暴投だ。打ったランナーは、一塁キャンバスを蹴って二塁へ。相手側ベンチが沸く。スタンドも最後のチャンスだと、絶叫に近い応援の声を張り上げる。

「ショート、ドンマイ！」

牧原の励ましに、三郎がグラブをあげてこたえる。

まだ、二点ある。三郎は、首筋の汗を拭った。

初球だった。次の打者のバットが芯を捕らえた。低いゴロが唸りをあげる。

ショート、真正面。膝から下が、地面に埋まったかのように、三郎は動けなかった。

後逸。

三郎のトンネルに、球場が割れた。すでに、誰が何を言っているのかわからない。

まだ、二点ある。三郎は、もう一度、首筋を拭ったが、汗は止まっていた。

金属音。打球が空に吸い込まれる。

レフトが足を止めて、グラブを地面に叩きつけた。

サヨナラ3ラン。

両手を挙げながら、飛び跳ねるように、ランナーたちが三郎の前を通っていく。

夢だ。これは夢だろう。だって、首から下の感覚がねえもん。

三郎は、このまま、ふわふわと空まで昇り、消えてしまいたいと思った。

「いくらだ？　いくら払えばいい？」三郎は、玄関から靴のまま、望月の部屋にあがった。

三郎の剣幕に望月がぎょっとする。「またまた！　何を言うてますの」望月が、今夜、三回目の黄色い歯を見せた。

三郎は、ムカムカして、望月の頭をモンキーレンチで殴りたくなったが、我慢した。が、すぐに我慢できなくなり、背広の内ポケットから、モンキーレンチを抜き出して、望月の頭に振り下ろした。

望月の頭が、割れた。ピュッ、ピュッと血が噴き出す。

「しゅ……に……く」

望月は、人生最後の言葉を言い残し、キッチンのテーブルに体をぶつけながら、床に崩れ落ちた。

三郎の足元に、コロコロと朱肉の丸いケースが転がってきた。

5

「遅いわよ！」

エレベーターに戻ってきた三郎に、マッキーが嚙み付くように言った。

相変わらず、小川の死体は白目を剝いている。血が出ていない分、こっちのほうがマシに思えた。

「鍵はあったんですか？」カオルが尋ねる。

三郎は首を横に振った。

「インターホンを何回押しても出てこなかった。寝ているか……どこかに行ってるかも……」

三郎は、嘘をついた。本当のことが言えるわけがない。望月が、床に寝ているのと、あの世に行ったのは本当だが。望月のジャージをまさぐり、鍵束を探したが、どこにもなかった。次第に自分のしたことが恐ろしくなり、逃げるようにエレベーターに戻ったのだ。

人を殺した。殴り殺した……。ありえない、何やってんだ、俺！　もう遅い、考えるな！　今は望月を頭の中から追いだせ！

「どうするのよ！　密室が作れないじゃん！　捕まりたくないってば！」マッキーが、キャンキャンと吠えた。

「大丈夫ですか？　顔色悪いですよ？」カオルが心配そうに、三郎の顔を覗きこんだ。

しまった！　防犯カメラだ！

天井の黒い半球体をチラリと見る。望月の割れた頭の映像がダブッた。小さい望月が、天井から、ぬっと顔を突き出しているように見える。

三郎は、カオルとマッキーに、カメラがダミーではないことを、話すかどうか悩んだ。

言えない。話すとなると、管理人室での出来事を告白しなければならないのだ。ごめん、死体がもうひとつ増えた、で、二人が許してくれるはずがない。

「違う方法で死体を処理しよう」

とりあえずは、小川の死体を処理してから管理人室に戻り、防犯カメラで録画されたテープを処理しよう。望月の死体の処理は……今は考えたくなかった。

「またイチから考え直しね」マッキーが腕を組む。

お前は全然考えてないだろうと言ってやりたかったが、困惑と疲労で、それどころじゃない。

「イチからではないですよ。《見つかることを前提に処理する》までは決まったんですから」カオルが、頼もしい口調で言った。

どこかで、携帯電話の着信音が鳴った。三郎たちは、黙ったまま顔を見合わせる。

小川のケータイだ。

マッキーが、小川の死体から携帯電話を取り出した。画面に、《麻奈美》の文字が表示されている。

「小川さんから連絡がないから、かけてきたんですね」

「どうしよう？　出ないと怪しまれるんじゃない？」

「誰が？」

「サブちゃんに決まってるでしょ！　カオルは女、私はオカマなんだから！」

「小川のフリをするのか？」

マッキーがコクコクと頷き、携帯電話を三郎に押し付ける。

「無理！　無理！」

「男でしょ！　気合入れなさいよ！」

「気合で物まねができるか！」

物まねはサザンの桑田しかできない。

「アリバイはどうなるのよ！」

そうだ、アリバイだ。

どうする？　出るか？

「小川ってどんな声だったっけ？」

「出ないでください！」カオルが、三郎から携帯電話を奪う。「絶好のチャンスじゃないですか！」

「チャンス？」三郎とマッキーがキョトンとする。

「まだ、別れ話の途中だと思わせればいいんです。ここで、メールのやりとりをすれば、それこそ揺るぎないアリバイじゃないですか！」

「おー！」思わず、三郎は喜びの声を上げた。

カオルが、着信音が鳴り止むのを待ち、携帯電話をマッキーに渡した。

「え？　何？」

「麻奈美さんにメールを打ってください」

「私が？」マッキーが自分を指す。

「お願いします」

「カオルちゃん、やってよ」

「メールが苦手なんです。この中では、マッキーさんが、一番、表現力があって適任だと思います」

「そうかな……」マッキーが、鼻を膨らます。

「頼む。お前が、一番、ボキャブラリーが豊富だ」三郎も両手を合わせて、カオルをアシストする。

「しょうがないな……」マッキーが、少し嬉しそうに返信の準備をする。

「別れ話の途中ね……《今、話し合っている。陽子には、別れようと言った。もう少し待ってくれ》こんな感じで、どう？」

「無難でいいんちゃう？」

「シンプル・イズ・ベストよ」

「問題ないと思います。送ってください」

マッキーが、素早い手つきで、文を打ち込み、メールを送る。「《別れようと言った》が、ポイントなの」

小川の携帯電話が再び鳴った。メールの着信音だ。麻奈美から返事がきたのだ。

「早いわね！」

「何て書いてあります？」

マッキーが、麻奈美からのメールを読む。「《別れたなら、そこにいる必要はないはずでしょ！》だって。怒ってる！　怒ってる！」

「返事をしてください。これ以上怒らせて、また電話がかかってきたら困ります」

「わかった……《別れたのは間違いない。あいつが納得しないんだ》でどう？」

「《陽子》を《あいつ》に変えたのがポイントだな？」

「その通り！」

「早く、送ってください」

マッキーが、再び、麻奈美に返信する。

さっきより、さらに短い時間でメールが返ってきた。

「相当怒ってるな」

「私のせいじゃないわよ」

「早く、読んでください」

マッキーが、再び、読む。「《なんで、彼女の納得が必要なの？　どうせ、まだ言ってないんでしょ？　別れる、の一言で部屋を出て行けばいいじゃない？　今すぐ別れるって言って！　そうしないと、こっちに帰ってからの話し合いはしません。離婚します！》……ちょっと待って、こんな長文をあの一瞬で打ったわけ？」

「めちゃくちゃ、怒ってるやんけ」

三郎とカオルが、マッキーに非難の視線を浴びせる。

「だから、私のせいにしないでよ！」

「奥さんの怒りを何とか和らげてくださいよ！」

「ちょっと待ってよ！　私ばっかりに押し付けないでよ！　あんたたちも考えてよね！」

「とりあえず、謝れ！」

「謝っても手遅れですよ！　キチンと説明しないと！」

「説明？　何の説明よ？　別れ話は絶対こじれるものなのよ！　《そう簡単に別れられるわけないだろう》って打つわよ！」

「アホ！　油注いでどうするねん？」

油どころではない。ガソリンだ。

小川の携帯電話が鳴った。今度はメールの着信音ではなく、電話だ。

「きゃあ！」マッキーが、驚いて、携帯電話を床に落とした。

「かかってきたやんけ！」

「私、知らない」

「おい！　マッキー拾えって！　お前のメールで、怒らしてんから責任を取れよ！」

マッキーは、両耳を押さえ、大声でエルトン・ジョンの《ユア・ソング》を歌って抵抗する。

「お前は子供か！」

マッキーの歌は、単なる奇声にしか聞こえなかった。

「電話に出ないとまずいですよ！　このマンションに乗り込んでくるかもしれません！」

「妊娠九ヶ月で？」

「母は強しです」カオルがキッパリと言い切った。

三郎は、携帯電話を拾った。

麻奈美からの電話ではなかった。「麻奈美じゃないぞ」

「え？」マッキーが、奇声を止めて、両耳から手を離した。聞こえている証拠だ。

「誰よ、こんな時間に？」

三郎は、携帯電話の画面を見せた。

「陽子？　浮気相手の？」

「電話に出てください！」カオルが、さっきとは逆のセリフを叫ぶ。

「え？　出るの？」

出てどうすんだ？　陽子は俺たちのこと知らないんだぞ。もしかして、本気で小川のマネをしろってか？

「チャンスです！　奥さんとのメール、陽子との会話をクリアすれば、完全にアリバイが成立します！」

「声でバレるだろ！」三郎は両手を振って抵抗した。

「大丈夫です。ものすごく酔ってますから」カオルが、自信たっぷりに言った。

「サブちゃん、ガンバ！」マッキーが、パチパチ両手を叩く。世界一モチベーションが下がる応援だ。

「早く！」二人が同時に叫んだ。

もう知らん！

三郎は、ヤケクソで、陽子からの電話に出た。「もしもし？」

泣いている女の声が聞こえてきた。

『ジュンジュン？』

おい！ どういう呼ばせ方してんだよ！ 三郎は、小川の死体を睨んだ。

カオルが、三郎に、口パクで返事をしろと指示を出す。

三郎は、声でバレないように、なるべく文字数を少なく返事をした。

「俺」

『今、どこ？』

陽子は、電話の相手が別人だということに、全く気づいていない。

「家」

『奥さんは？』

「庭」

『別れたくない。お願い、別れんとって』

「嫌」

三郎は、一方的に電話を切った。

「何よ、今の電話！　もっと真剣にやりなさいよ！　庭って何よ？」マッキーが吠える。

「バレるよりマシだろ！」三郎も吠え返す。

「ひど過ぎますよ！　自殺したらどうする……」カオルが、電池が切れたように動きを止めた。

「カオルちゃん？」

「どうした？」

何かを考えているのか、ブツブツと呟き、小川の死体を見る。

次の瞬間、カオルの目がきらりと輝きを放った。「自殺ですよ！」

カオルの、突然の意味不明な発言に、三郎とマッキーが顔を見合わせる。

「小川さんに自殺してもらうんですよ！」

「は？　すでに死んでる人間捕まえて、何言ってるのよ？」

「それでいいんです！」

「サブちゃん、この子、もう一回殺したいんだって」マッキーが呆れ顔で言った。

「そうです！　小川さんには、二度、死んでもらうんです！」

「どういう意味だ？」

「死体処理ですよ！」

カオルは黒いポーチから、ＭＤレコーダーを出した。

「ここに、小川さんの《遺書》があるじゃないですか！　小川さんには、このまま、最上階から飛び降りて頂きましょう！」

「頂きましょうって……私たちが落とすわけ？」

カオルは、一人だけクイズの答えを知っている小学生のように、嬉しそうに三郎たちを見た。

「出産間近の妻に浮気がばれ、罪の重さに耐え切れず自殺。しかも、遺書付き。誰も殺人とは思わないんじゃないですか？　どんな死体処理よりも自然ですし」カオルは、満面の笑みを浮かべ、言った。「何よりも、楽です」

カオルのアイデアに、三郎とマッキーは歓喜の声を上げる。

「それだ！」

「カオルちゃん！　偉い！」

なぜ、こんな簡単なことに、今の今まで気がつかなかったのか？　もう少し早ければば、望月も頭をカチ割られずに済んだのに。

答えは、密室の外にあった。

「早く落とさなくっちゃ！」マッキーが、元気よく右手を挙げた。

どうやら、ストックホルム・シンドロームの賞味期限は短いらしい。

6

「も、う、つ、か、れ、た」

マッキーが、声を出しながら、小川の携帯電話を押す。「自殺をほのめかしてください」という、カオルの提案で、麻奈美にメールを送るのだ。

「ほのめかす程度やぞ。麻奈美がこっちに来たら元も子もないからな」三郎が釘を刺す。

「できた」マッキーが、メールを打ち終わった。

小川を落とす場所は、非常階段の踊り場からと決めた。住人からも通行人からも死角になるからだ。

「ついでに鍵も返しちゃいましょう」カオルが、三郎を見た。最初に望月から預かった、エレベーターの鍵のことだ。

「管理人室の前を通るもんね」

頭に浮かんだ望月の黄色い歯を、三郎は振り払った。

そっちの死体は後だ。

「念のため、私がマンションの下に行きます。マンションのまわりに誰もいなければ、三郎さんのケータイに電話します。電話があるまで待機してください」

「落ちる瞬間を見られたらアウトだもんね」

「落とす瞬間です」カオルが、マッキーの言い間違いを訂正した。

最後の関門だ。慎重にいかねば。

「男二人なら、落とすのは問題ないですよね？」

「失礼ね、男一人、オカマ一人よ」

エレベーターから、三人と一体の影が姿を現す。

「絶対に私からの電話を待ってくださいよ。上から見て、いけそうだと思っても我慢してください」カオルが声をひそめて言った。

「早めに電話してよ。もう密室じゃないんだから。丸見えなのよ」

小川の死体のことだ。

「私が下から見て、目撃者がいないと判断すればすぐに電話します。いざ、小川さんを落とす時も、お二人はなるべく体を屈《かが》めて、低い姿勢をとってくださいね」

「体を屈めて落とすって、至難の業《わざ》よ」

「なるべくです。さあ、急ぎましょう」

三郎が死体の脚、マッキーが頭を持ち上げる。

ずっしりとした重さが、三郎の腕に加わる。死んでいる人間はこんなにも重いのか。腰に力を入れ、マンションの廊下を運び始める。

「頑張ってくださいね」カオルが、そのままエレベーターに乗って、一階へ降りて行った。

「死体を落っことすのに、頑張ってはないでしょうに」マッキーが、小川の頭を引っ張りながら、ブツブツと文句を言った。

三郎たちは、小川の死体を引きずるようにして廊下を渡った。

ズルズルという音がコンクリートの壁に響く。

「ねえ、サブちゃん」

「何やねん？」

「もし、この人が死んでなかったら、どうだったかな？」

「どうって？」

「子供が生まれる前に、奥さんに浮気がバレたわけでしょ？　それから、先の人生、その子供の顔を見るたびに罪の意識を感じなきゃなんないのよ」マッキーが、小川の顔を上からシゲシゲと眺めた後、三郎を見た。「どう？　そんな人生」

「知らん」三郎は即答した。進行方向が後ろ向き、しかも、小川の靴が脱げそうで、運びづらくて仕方がない。

この期《ご》に及んで、人の人生など知ったこっちゃない。自分の人生がヤバイってのに……。二人殺してしまった。捕まらなくても、まともな人生が送れるとは思えない……。だから考えるなって！

人生論は、死体を処理してからだ。

管理人室のドアが近づく。ドアを過ぎれば、すぐに非常階段だ。

「ひっ」マッキーが、短い悲鳴をあげ、手を離した。

小川の頭が、ゴンとコンクリートの上に落ちる。

「何やってるねん！」三郎は、マッキーに怒鳴った。

マッキーが強張った顔で、三郎を見ている。正しくは、三郎の後ろだ。

振り返った三郎は、自分の目を疑った。「え？」

管理人室のドアが、ゆっくりと開いたのだ。

ドアの陰から、巨大な芋虫が出てきた。

「ひい」マッキーが、もう一度悲鳴をあげた。

望月だった。血まみれの頭で地面を這《は》っているのだ。

死んでなかったのか。

三郎は、喜ぶべきなのか、驚くべきなのかわからず、一瞬、思考が停止する。

望月は、助けを求め、ゆっくりと立ち上がった。意識が朦朧《もうろう》としているのだろう、足元がふらつき、今にも、倒れそうだ。

「しゅ……に……く」

望月は、震える手を伸ばし、三郎たちに近づいてくる。

「……ゾンビ？」マッキーは、望月と会ったことがない。とんだ初対面だ。「順くんを食べないで！」

ストックホルム・シンドロームの復活だ。マッキーが、ものすごい力で、小川の死体を引きずって逃げた。

三郎も逃げようとしたが、望月に後ろから右足を掴まれ、動けない。

マッキーは、エレベーターホールまで小川を運び、エレベーターを呼んだ。三郎は、ゾンビに食べられてもいいらしい。

「マッキー！　どこ行くねん！」

エレベーターのドアが開く。

三郎の叫びも空しく、マッキーは、小川と共にエレベーターに乗り込んだ。

置いていくなよ！

「お前らが……電気……止めろって……違うんかい！」

支離滅裂なことを言いながら、望月が三郎の右足をグイグイと引っ張る。

三郎は、背広の内ポケットからモンキーレンチを抜き、望月の頭に振り下ろした。

頼む、今度は死んでくれ。

望月の死体を、管理人室に放り込み、三郎はエレベーターに向かって走った。

三郎の携帯電話が鳴る。カオルからだ。

『今です。落としてください』

「すまん！　落とせない」

『重たければ、そんなに屈まなくていいですから、今なら誰も見てません！』

「そうじゃないねん」

『はい？』

「マッキーが、死体と一緒にエレベーターで降りて行った」

『降りたって……どこに、ですか？』

「下！」

『下のどこですか？』

「わからん！」

『何やってるんですか！』

「俺もわからん！」

階数表示は、三階で止まっていた。

「三階だ！」三郎は、エレベーターの呼びボタンを連打する。

『三階？　死体を見られたら、終わりですよ！　何で、そんなことになってるんですか！』

説明すると長くなるので、三郎は短く伝えた。

「ストックホルムだ！　やっぱり、小川を落としたくないってよ」

『またですか？　とにかくマッキーさんを止めてくださいよ！』

「わかってる！　お前は、一階から誰もエレベーターに乗らないようにしてくれ！」

『無茶ですよ！』

「見られたら終わりなんだろ！」

『どうやればいいんですか？』

「殺してでも止めろ！」

三郎は、電話を切った。

エレベーターのドアが開いた。マッキーと小川は乗っていない。三郎は強く舌打ちをした。

エレベーターに乗り込み、3のボタンを押す。ゆっくりとドアが閉まり、動き出す。

エレベーターの速度が、ひどく遅く感じられた。

「早く！　早く！」三郎は、階数のランプを見ながら、脚をバタつかせる。

……7、6……後、もう少しだ。早く！

三郎の思いが強過ぎたのか、エレベーターは、五階で止まってしまった。

5？　俺は3を押したぞ！

三郎が、ボタンを確認した。3が点灯している。

ほら！　このエレベーター壊れて……違う。

三郎は、やっと、エレベーターはマンションの住人のものだということを思い出した。

誰か、乗ってくる！

ゆっくりとドアが開き、パジャマ姿の中年の女が乗り込んできた。右手にゴミ袋を下げ、左手でミニチュア・ダックスフントを抱えている。女は小太りで、頬が垂れ下がり、パグ犬に似ていた。ゴミを捨てに行くついでに、犬にオシッコをさせる気だろう。

パグ女が、三郎を訝《いぶか》しげな目で一瞥する。

三郎は、なるべく怪しまれないように「こんばんは」と挨拶をした。パグ女の代わりに、ミニチュア・ダックスフントが低く唸った。

「ラッキーちゃん、ダメよ」パグ女が窘める。

そうか、ラッキーなのか。今夜の三郎にすれば、名前だけでもうらやましく思えた。

パグ女が眉をひそめた。エレベーターが、三階に止まったからだ。三郎が、軽く会釈をして、降りる。完全に不審人物を見る目だ。この時間に、マンション内をウロウロしている奴と思われたかもしれない。実際、ウロウロしているのだけれども。

エレベーターのドアが、閉まると同時にダッシュする。

マッキーと小川はどこだ？

三郎は、このまま何もかも忘れて、逃げだしてしまいたい衝動に駆られた。貯金を全部下ろしてジャマイカにでも行くか。悪くない。英語喋れないけど。レゲエもそんなに好きじゃないけど。ハッパも吸わないけど。……やっぱ、沖縄にするか……。捕まる可能性は高くなるけど。

三郎の行く手を塞ぐかのように、目の前のドアが開いた。

３０５号室だ。

須藤陽子が部屋から出てきた。

三郎のことを小川と思ったのか、一瞬、パッと顔を輝かせたが、すぐに他人とわかり、暗く表情を落とした。酒臭い。ひどく泣いたのだろう、目が真っ赤に腫れ、マスカラが取れて、結膜炎のパンダのようだ。

三郎は、陽子の顔を写真と尾行の時にしか見たことがなかったので、新鮮に感じた。黒く長い髪。やつれてはいたが、白く透き通った肌。首筋。しなやかに伸びた華奢な腕が、マンションの蛍光灯に照らされて、蒼く光っている。泣いていなければ、きっといい女なのだろう。幸は薄そうだが。

陽子は三郎とすれ違い、エレベーターに向かった。コンビニにでも行くのだろうか。

裸足で？

三郎は陽子の足元を見る。靴を履いていなかった。陽子は、三郎の視線を気にもせず、エレベーターを呼んだ。

声をかけるか？　何て？　靴、忘れてませんか、か？

胸騒ぎがする。大失恋の裸足の女。酔っていればなおさらだ。

エレベーターのドアが開く。陽子が乗り込む。ドアが閉まる。

何も言えるわけがない。所詮、赤の他人だ。


「サブちゃん」

潜《ひそ》めた声が聞こえた。

三郎は、慌てて振り返る。非常階段の陰から、マッキーが顔を出していた。

「何しとんねん！　お前は！」三郎は、マッキーの元に駆け寄った。

マッキーの横の階段に、小川の死体が座らされている。ぱっと見れば、酔いつぶれているように見えなくもない。

「誰にも見られてないか？」

マッキーが、引きつった顔で、コク、コクと二回頷く。「ゾンビは？　て言うか、あれ何？」

「管理人。シャブ中やねん」三郎は、口からでまかせを言った。

「それで……あんな風に……」

マッキーは、少し安心したようだ。

こっちとすればこの状況は、少しも安心できないが。

「怖かった～！　私、ホラー映画のヒロインじゃないんだから！」

ヒロインならマンションの八階から三階まで、大の男を運べないだろう。

「もう大丈夫。ぐっすりと寝かしつけたから」

三郎は、苦しい嘘をついた。ぐっすりとではなく永遠になんだけどな……。

「さっきの女は？」マッキーが陽子のことを言った。

「あれが小川の浮気相手」

マッキーが、不思議そうな顔をする。

「彼女の乗ったエレベーター、どんどん上に行っちゃうんだけど」

7

「ここで待ってろ！　絶対に住人に見つかるなよ！」三郎が、早口でマッキーに言った。

「もし、見つかったら？」

「恋人同士のフリでもしろ」

三郎は、エレベーターまで、全速力で走った。

陽子が乗っていたエレベーターの階数を見る。

やっぱり。八階で停まっている。陽子は死ぬ気だ。小川との別れを苦に、最上階から飛び降りる気だ。

三郎は、もう一台のエレベーターに走る。停まっているのは一階だ。こっちの方が早い！

三郎は震える指で、呼びボタンを連打する。

俺は、須藤陽子を救いたいのか？　ふと湧いた疑問に笑い出しそうになる。すでに二人も殺しているのに？

エレベーターのドアが開く。

またパグ女とラッキーが乗っていた。ゴミ袋はもう持っていない。

オシッコが早いよ！　ラッキーが膀胱炎になるぞ！　三郎は、心の中で、パグ女を罵った。

パグ女は、三郎に驚き、露骨に敵意を剥き出しにした。

「ちょっと、あんた！　さっきから何ウロウロしてんの？　警察呼ぶわよ！」

それだけはまずい。今、呼ばれたら、俺も最上階から飛び降りるしかない。

「……犬を探してるんです」

途端に、パグ女のしかめ面が和らぎ、警戒が解ける。犬好きには犬で勝負だ。

「あら。迷子？」

「そうなんです……。散歩に連れて行こうとしたら、犬だけエレベーターに乗っちゃって……」

「まあ、それは大変じゃないの！　お宅のワンちゃんの種類は？」

咄嗟に犬の種類が出てこない。パグと言おうとしたが、怒られそうなのでやめた。

「ラブラドール・レトリバーです」三郎は、とりあえず、浮かんだ名前を言った。

「大型犬？　このマンション、小型犬しかダメなのよ」

しまった。トイ・プードルにすればよかった。最近、噛まれたばっかりなのに。

「すいません……。越して来て、すぐなもので」

「大丈夫、管理人さんには内緒にしてあげるから」パグ女がウインクする。

「ここの管理人さん、気持ち悪いから好きじゃないの。ラッキーちゃんも、いつも吠えるもんね～」

「……ありがとうございます」

「お宅のワンちゃんの名前は？」

「……マッキーです」

「マッキーちゃんだって！　ラッキーちゃんと一文字しか変わりまちぇんね」パグ女が、ラッキーの喉を太い指で撫でる。ラッキーが、迷惑そうに体をよじる。「大きなワンちゃんだから、住人の誰かが、すぐに見つけるわよ」

見つかったら困る。

エレベーターが、五階で停止した。

パグ女とラッキーが、降りていく。「頑張ってね。おやすみなさい～。ラッキーちゃん、おやすみは？」

ラッキーが、三郎にウーッと唸った。アンラッキーな俺が嫌いなようだ。

ドアが閉まると同時に、三郎は、八階のボタンを連打する。

携帯電話が鳴った。カオルだ。

『今、犬を抱いた中年の女が、マンションに入りました』

「大丈夫。問題ない」

『マッキーさんは、見つかりました？』

「見つかったよ」

『良かった……』電話越しに、カオルの安堵の息が洩れる。

「でも、また問題発生だ」

『え？　今、問題ないって言ったばかりじゃないですか！』

「違う問題なんだよ」

『先に、小川さんを落としてください！』

「その前に陽子が落ちそうなんだ」

『は？』

「須藤陽子。小川の浮気相手だ。たぶん、自殺する気でいる」

『…………』カオルが黙り込んだ。

「カオル、聞いてるか？」

『そんな女、放っておけばいいじゃないですか』

「何？」

『逆に好都合です。その女の後に、小川を落とせば《愛人との心中》の完成じゃないですか！　誰も小川の自殺を疑いませんよ』

「………」今度は、三郎が黙る番だった。

『私たち、助かりましたね』

「すまん」

『何、謝ってるんですか？』

「陽子を説得に行く」

『どうして？』

「俺のせいだからだ」三郎は、そう言って、携帯電話の電源を切った。

エレベーターが、八階に停まった。

陽子は、非常階段の踊り場にいた。三郎たちが、小川を落とそうとした場所だ。申し訳程度の柵があるだけで、子供でも乗り越えられる。

「おい！」三郎が、遠目から叫んだ。下手に近づけば、飛び降りられると思ったからだ。

その次の言葉が出てこない。何を言えばいいのか、全く言葉が思いつかなかった。

「どちら様？」陽子が、間延びした声で言った。

今から、死のうとしてる者のテンションではない。緊張感もない。酔っているからだろうか？「止めないで！」的な発言を予想していた三郎は、肩透かしを食ったような気がした。

「ただの通りすがりの者です」思わず出た間抜けな答えに、三郎は顔をしかめた。

逆上しないだろうか？

恐る恐る、陽子の表情を確認する。陽子は、笑っているようにも、泣いているようにも見えた。

「さっき、三階で会ったよね？」陽子が、三郎の顔を見て言った。

「……会いましたね」

「何してんの？　こんなとこで」

それはこっちのセリフだ。

「もしかして飛び降りに来たとか？」

それもこっちのセリフだ。

「君こそ、飛び降りるのではないのか？」

変な標準語になった。三郎のほうが緊張している。

「何、その言葉？　昔の人？　タイムスリップしてきたとか？」

「飛び降りるのか？　飛び降りないのか？　どっちだ？」また、訳のわからない言葉を口走ってしまう。

「飛び降りるわよ」陽子は、何の淀みもない、透き通った声で言った。覚悟を決めた人間だけが出せる声だった。

これは、本気だ。三郎の胃が、キューッと締まる。

「やめてくれ」三郎が、心の底から懇願した。「頼む。飛び降りないでくれ」

「それって、お願い？」

三郎が、頷く。

陽子が、何も言わなくなった。じっと、三郎の顔を見ている。

風が、吹いた。風は、陽子の黒髪を揺らし、空に戻っていく。一晩中、狭い箱の中にいた三郎が、忘れていた風だ。

「今日……ひどいことがあったの」陽子がポツリと言った。

「俺もあった」一瞬の間を置き、三郎が答える。

「私のほうがひどいわ」

「いや、俺のほうがひどい」

「生きてたら、いいことがあるかな？」

どう答える？　今の俺にどんな言葉が言える？

「たまにしかない」三郎は本当のことを言った。

「何よ、その言い方」陽子がムッとする。

「本当のことや。きっと、今夜よりも辛いことが、君を待っている」

「私に死んで欲しいの？」

「死んで欲しくないから、こうして説得している」

「こんな説得、聞いたことない」

「嘘は言いたくないねん。今日は嘘をつき過ぎたから」

「ふーん」

陽子が、振り返り、柵に手をかけた。飛び降りるのかと、ヒヤッとしたが、陽子は
それ以上、動かなかった。

「今夜よりも辛いことを楽しみに、生きていけばいいの？」

「うん。辛ければ辛いほど、今夜のことなんてどうでも良くなるやろ」

陽子が、ぽろぽろと涙を零した。「早く、来ないかな。辛いこと」

三郎は、明日来るよ、と言いかけてやめた。陽子にとって、小川の自殺が辛いことなのか、どうなのか、わからないからだ。

8

『今です。落としてください』

カオルの合図で、三郎とマッキーは、小川の脚を持ち上げた。なるべく身を屈めながら。

ドスンという音が、マンション中に響く。

マッキーが、ＭＤレコーダーを、小川の靴の横に置いた。

結局、陽子は自殺を思い止まってくれた。

三郎は、陽子を部屋の前まで送った。気が変わって、また八階まで上られたら困るし、非常階段でマッキーが待っているからだ。

陽子は、部屋のドアを閉める寸前、三郎に礼を言った。「本当のこと言ってくれて、ありがとう。白々しい説得だったら、飛び降りてたかも」

その言葉に、三郎は、ほんの少しだけ、救われた気がした。

三郎は、キーを廻し、車のエンジンをかけた。マンションの斜め向かいにある、コインパーキングだ。

助手席にカオル、後部座席にマッキーが乗っている。

三郎は、フロントガラス越しに、マンションを見る。静かだった。その姿は、夜の空に向かって、そびえ立つ、孤独な塔にも見えた。まだ誰も、一人の男が、空を飛んで落ちたことに気づいていない。

「疲れたわ」マッキーが、ぼそりと言った。「お風呂に入りたい」

通り過ぎるトラックのヘッドライトが、カオルの横顔を照らした。

「音楽聴いてもいいですか」カオルが、ＣＤの再生ボタンを押す。力強いギターと、ざらざらとした歌声が、カーステレオから流れ出す。

「誰、これ？」

「ブラインド・ウィリー・ジョンソン」三郎が答える。

「ブルース？」

「ゴスペルや。目が見えなかってん、この人」

「ふーん。スティービー・ワンダーと一緒ね」マッキーは、明らかに興味なさそうに、シートにもたれた。

ざらざらとした歌声は、言った。

思い通りになるのなら
俺に力があるのなら
ああ、神様、あの建物を壊したい

「やっと終わりましたね」カオルが言った。

まだ終わってはいない。

三郎は、車のエンジンを止めた。

「どうしたの?」マッキーが、怪訝そうに三郎を見る。三郎は、あらかじめ用意していた言葉を言った。「しまった」

「何よ?」

「鍵だ」

「鍵?」

「エレベーターの鍵を、持ったままだ」

途端に、カオルの顔が曇る。「何やってるんですか! 早く、返してきてくださいよ!」

「サブちゃんのドジ!」

「すまん、ちょっと待っててくれ!」三郎は、車から飛び出した。

ここまでは、予定どおりだ。

次は、望月の死体だ。

エレベーターのドアが、ゆっくりと開いた。まるで、三郎を待ち構えていたようだ。

三郎は、エレベーターに飲み込まれる錯覚に、一瞬、躊躇する。

乗るしかないだろ。

エレベーターに乗りこみ、八階のボタンを押す。ゆっくりとドアが閉まるのにあわせて、三郎も目を閉じた。

体が揺れる。グングンと昇っていく。奇妙な感覚だ。誰かに引っ張られているみたいだ。

三郎は、目を閉じたまま、望月の死体について考えた。

死体処理。アイデアもなければ、時間もない。そのうち、誰かが、アスファルトの上で、潰れている小川を見つけるだろう。住人や警察やマスコミが大騒ぎするに違いない。それまでにはなんとかしなければ。

頭の中で、声が聞こえた。

望月も、落とすか？

三郎は、頭を振って声を振り払う。

うまくいくわけがない。小川の自殺まで疑われてしまう。望月のような男に、自ら死を選ぶ勇気はない。望月の知人など誰一人知らないが、全員が口を揃えて、そう言うに決まっている。

　望月は誰かに殺されたのだ。誰に？　空き巣？　違うだろ。まともな空き巣なら、あの部屋に入った瞬間に踵《きびす》を返して出て行くはずだ。金のない場所に用はないのだから。

　あの出血では、下手に死体を動かすことはできない。部屋の中で、殺されたことにするしかない。部屋の中？　一体、誰が、あんな男に会いに来るんだ？　借金取りぐらいのものだろう。……借金取り？

　それだ。

　三郎は、目を開いた。

　エレベーターがガクンと停まる。八階だ。

　ゆっくりと開きかけるドアを、三郎はこじ開けた。


　望月は、管理人室の玄関でうつぶせになって倒れていた。三郎が、さっき運んできた時と同じ体勢のままだ。頭の下に、どす黒い水たまりが溜まっている。

　念のため、死んでいるか確かめる。三郎は、血がつかないように注意しながら脈を確かめた。死んでいる。これで、まだ生きていたら、それこそゾンビだ。

土足のまま部屋にあがった。キッチンの奥に、事務机があったはずだ。

事務机の上は、週刊誌とタバコの吸殻と缶コーヒーの残骸で散らかっている。相変わらず、残骸だらけの部屋だ。

マジックはどこだ？　三郎は机の引き出しを開けて、中をかき回した。なるべく太いやつがいい。

あった！　油性だ。ツイている。

三郎は、ついでにエレベーターの鍵を、引き出しの中に放り込む。

玄関に引き返し、表に出た。辺りを見回す。

よし。誰も見ていない。

三郎は、マジックのキャップを外して、管理人室のドアに大きく書いた。

《金、返せ！》

他に何て書こう？　闇金の奴らなら、どう書く？

借金によるトラブルで殺人。これが三郎の描いた絵だった。望月の多額の借金は、調べればすぐにわかる。警察は、まず容疑者として、闇金の連中を疑うだろう。

いずれは、捜査も俺にたどり着くかもしれないな……。まあ、いい。小川麻奈美から残りの金を受け取ったら、ジャマイカ……じゃない、沖縄に行こう。

マジックを持つ手を動かし、《ドロボー》と《殺すぞ》を追加した。

マジックのキャップを閉め、ポケットに入れる。

後は、防犯カメラのテープだけだ。

三郎は襖を開けて、望月の寝室に入った。湿った空気が顔を撫でる。カビの臭いが、鼻腔をくすぐる。

畳の上の万年床の周りに、ウイスキーの瓶、食べかけのスルメの袋、吸殻で盛り上がった灰皿、脱いだ後の靴下、競馬新聞、ハズレ馬券が、散乱している。

テレビ台に、ビデオデッキがあった。三郎は急いで取り出し、ボタンを押す。ういいんという、もどかしい音とともに、ビデオカセットが出てきた。

《熟女狂い咲き》ビデオカセットには、そうタイトルが書いてあった。

重ね録り？

三郎は、カセットをビデオデッキに差し込み、再生ボタンを押した。

熟女だ。色黒い男優と絡んで、ウソ臭い喘ぎ声をあげている。巻き戻しのボタンを押す。熟女、熟女、熟女。どこを見ても、熟女しか映っていない。
何だ？　これ？
三郎は、他のビデオを探した。
《熟女中毒2》が一本だけ見つかった。カセットを入れ替え、中身を確認する。
熟女、熟女、熟女。確かに中毒だ。

エレベーターの映像は？

枕元にあったリモコンで、テレビのチャンネルを替える。
砂嵐と、テレビショッピングしか映らない。

まさか……。

三郎は立ち上がり、寝室を飛び出した。部屋を出て、エレベーターまでの廊下を全速力で走る。

息ができない。大きなうねりが襲ってくる。まただ。また、首から下がふわふわしている。

一体、何が起こった？

混乱する頭のまま、エレベーターのドアを開ける。

三郎は、エレベーターに乗り込み、天井を見上げた。背広の内ポケットから、モンキーレンチを抜き出し、黒い半球体をめがけて、振り上げた。

プラスチックの破片が、三郎の頭に降り注ぐ。

天井には、細い電気コードが二本伸びているだけだった。

ない！

防犯カメラがない！

ダミーという望月の言葉は本当だったのだ。

「どうなってるねん！　おい！」三郎は、叫んだ。

勝手な勘違いで人を殺したのだ。罪の意識が津波のように襲って来る。

でも……。

三郎は、望月との会話を思い返した。

『……停電って？』

『何、言うてますの。あれ、わしがやったんですよ』

『追い込みたかったんでしょ？　あの男を』

『あんな狭いエレベーターが真っ暗になったら気が狂ってしまいますわ。わし、こう見えても閉所恐怖症ですねん』

口調からして、望月が、エレベーターの電源を落としたのは間違いない。

頼まれてもいないのに、なぜ、そんな勝手な真似をした？　金が欲しかったから、気を利かせたのか？……頼まれてもいない……。

『お前らが……電気……止めろって……違うんかい！』

望月は、息絶える前に確かにそう言った。あの時は、出血のせいでの、意味不明な言葉だと思っていた。

三郎が、望月の最後の言葉を呟く。

お前らが、電気、止めろ……。お前ら？　望月と会ったのは、三郎とカオルだけだ。

カオルが、エレベーターの電源を落とすよう頼んだのか？　俺の指示のないところで？

ありえない。もし、そうだとしても、理由は？

携帯電話が鳴った。

画面を見る。麻奈美だ。いつまで経っても小川が帰ってこないので、こっちの携帯にかけてきたのだろう。

「もしもし？　どうしました？」平静を装い、電話に出る。

『主人が帰ってこないんです』暗く、やり切れなさに満ちた声だ。

「確か、浮気相手と別れてから家に帰ると言ってましたけど……」声が裏返りそうになる。

『まだなんです』

「時間がかかってるんですかね」

『気になるメールが入ったんです』

「どんなメールですか？」

『もう疲れたって一言だけ……』

「何でしょうね……」三郎は、知らないフリをした。チクチクと胸が痛む。俺はいつまで嘘をつけばいいんだ？

「そのうち帰ると思います。麻奈美さん、ご主人はあなたのことを愛していると」

『やめて！』麻奈美が、叫んだ。

三郎が言葉を失う。

『もういいんです……離婚することに決めましたから。一人で、この子を育てます』

麻奈美にかけるべき言葉は、何も思い浮かばなかった。

『いろいろとありがとうございました。残りのお金も振り込みます。もう会うことはないでしょうけど、次からは、小川麻奈美ではないんで』

「旧姓は？」

『愛敬です』

「愛敬って珍しい……」

愛敬？

三郎の脳裏に、履歴書がフラッシュバックする。

愛敬香。二十一歳。女子短卒。車の免許アリ。趣味読書。アガサ・クリスティーなど……。

「もしかして……妹さんがいます？」

『……いますよ』

「お名前は？」

『カオルですけど』

エレベーターの床に巨大な穴が開いた。暗くて深い穴だ。どこに落ちるわけでもなく、三郎を闇に引きずり込んでいく。

『カオルのこと、知ってるんですか？』

麻奈美の声に、我に返る。

「知り合いの知り合いで……」三郎が、言葉を濁す。

『同姓同名じゃないですか？　たぶん、妹とは別人だと思います』麻奈美は、何かを警戒するように言った。

「妹さんは、今は何の仕事を……」

『知ってるんですか？』

聞いているのはこっちだ。

『カオルは、どこにいるんですか？』明らかに、麻奈美の様子がおかしい。

「ちょっと、待ってください。ちゃんと説明してもらわないと、同一人物かどうかもわからないじゃないですか」三郎が、麻奈美をなだめる。

重い沈黙の後、麻奈美が口を開いた。『……行方不明なんです』

「いつから？」

『二ヶ月前です』

カオルが、三郎の事務所に現れた時期と一致する。

「捜索願は？」

『出しましたけど……その……事情が複雑で……』

「大丈夫です。誰にも言いません」

『精神病院から、脱走したんです』

「え……」

『境界型人格障害という病気で……精神的にかなり不安定で……自分や……他人を傷つけたりも……』

「傷つけた過去があるんですか？」

『入院のきっかけは……放火なんです』

「どこに火をつけたんですか？」

『当時、カウンセリングを受けていた、自立支援センターにです』

三郎は目眩を覚え、エレベーターの壁に手をついた。

カオルの《秘密》は、作り話ではなかったのか。

『その放火で職員が二人、お亡くなりになって……それで、カオルは医療少年院に入ったんです。成人になってから、精神病院に移されて』

亡くなった？

『私、何で他人のあなたにここまで話してるんだろ……カオルのことは主人にも秘密にしてたのに』

「他人だから話せるんですよ」

『もし、あの子の居場所を知っているなら……』

「人違いでした」

『え？』

「僕の知っている子は、探偵の助手をやっているんです。別人ですよ」

『そうですか……。それなら、依頼として、カオルを探してもらうことはできますか？』

「すいません。もう、この仕事は辞めるんで」

三郎は、一方的に携帯電話を切った。

背広のポケットから、薬瓶を出す。《業者》が、三郎のために用意した瓶と、全く同じだった。

停電の時にすり替えたのか……。

カオルは、最初から小川を殺すつもりだったのだ。同じ瓶の劇薬を用意し、すり替えた後、意図的に三郎に使わせた。自殺の偽装もカオルのアイデアだ。

カオルは、姉を苦しめた小川を許せなかったのだ。姉が浮気調査を頼んだことを知って、三郎に近づき、姉の代わりに復讐を果たした。あの時、陽子を自殺させようとしたのも……。

『お姉ちゃんだけが、ウチの味方やったわ』


三郎の耳元で、カオルが囁《ささや》いた気がした。

モーターの音が鳴り、エレベーターが動きだす。

住人の誰かが、エレベーターを呼んだのだろう。三郎の乗ったエレベーターが、下に降りていく。

三郎は、目を閉じた。エレベーターごと、深い穴に堕ちていくようだ。

これは夢ではない。それはわかっている。

カオルの顔を思い出そうとしたが、なぜか、陽子の泣き顔が浮かんだ。八階の非常階段で、ぽろぽろと涙を零した、陽子の顔だ。

きっと、今夜よりも辛いことが、君を待っている、か……。自分の言った言葉に苦笑いをする。

三郎は、神など信じなかったが、この時ばかりは、祈った。
ああ、神様、このエレベーターを壊してくれ。

エピローグ

悪夢は、まだ、終わってはいなかった。

三郎は、誰もいない助手席を見て、愕然とした。

「カオルは？」

三郎は後部座席のドアを開けて、マッキーに訊ねる。

「忘れ物だって言ってたけど……」マッキーが、おずおずと答える。

「マンションに戻ったのか？」

三郎は、マッキーが、頷くよりも早く、走りだした。

＊

もう少しで、あの女も殺せたのに……。

カオルは、助手席に座り、三郎が戻っていったマンションを睨み続けた。

邪魔しやがって邪魔しやがって邪魔しやがって邪魔しやがって……。

あの女が死ぬことは、計画になかったけど……せっかくのチャンスだったのに……。

カオルは、小川がコンクリートに叩きつけられたときの音を思い出すことで、苛立ちを抑えようとした。

どすん、だって。どうせなら、ぐちゃ、のほうが良かったのに。脳みそも飛び出さなかったし。残念。

カオルは、バックミラーで後部座席のマッキーを見た。よほど疲れたのか、軽く寝息を立てて、目を閉じている。

カオルは、自分の携帯電話を取り出して、写真データを開けた。病院に見舞いにきた麻奈美と、一緒に撮った写真だ。

お姉ちゃん……かわいそう……。

写真の麻奈美は、笑顔を作ってはいるが、心は笑っていない。姉の身に何かあったのだと、カオルはすぐにわかった。

「たぶん、順は浮気してる」麻奈美は、泣きながら、カオルに言った。

麻奈美の震える肩を抱きながら、カオルは誓った。

大丈夫。私が調べてあげる。

そして、殺してあげる。

カオルは、麻奈美の写真データを閉じ、さっき撮ったばかりの写真データを開けた。

小川の死体は口から血を吐き、手足が歪《いびつ》な方向に折れ曲がっていた。これで、脳みそがあったら完璧だったのに。

あー。なんか、またムカついてきた。

カオルは、黒いポーチから、カッターナイフを取り出した。


305だったよね、あの女の部屋。


助手席のドアを開けて、表に出る。

「あら、カオルちゃん？　どこ行くの？」ドアの音に目を覚ましたマッキーが、寝ぼけた声で言った。

「忘れ物です」カオルはそう言い残して、マンションへ足を一歩踏み出した。

ポツポツと雨の粒が落ちてくる。天気予報が当たったのだ。

これから、もっと、雨は激しく降るだろう。

カオルは、通りを渡って立ち止まり、マンションを見上げた。

首が痛い。

灰色のモヤモヤが、カオルを飲み込んでいく。

マンションに入り、エレベーターを呼び出した。待っていてくれたかのように、ドアがすぐに開く。

カオルは、エレベーターに乗り込み、3のボタンを押した。

解説

永江朗

『悪夢のエレベーター』をお読みになったあなた、いかがでしたか？　面白かったでしょう？　びっくりしたでしょう？　まさかこういう展開になるとは思わなかったでしょう？

本編よりも先にこの解説からお読みになっているあなた。大丈夫です、ここではネタをバラすようなことを一切書きませんから。それはエンターテインメント作品解説のお約束です。私も本編よりも先に解説を読むことがよくあります。ミステリの場合だと、解説だけじゃなくて結末を読んで犯人を確認してから読み始めることすらあります。なんか、安心できるじゃないですか、そのほうが。

でも、この『悪夢のエレベーター』に関しては、素直にプロローグから順番に読んでいくことを強くおすすめします。読み進めながら、「えっ、そういうことだったの？」とびっくりしたり、「うはっ、こうきたか！」と感嘆したりという連続がこの作品の魅力です。どうぞ流れに身をまかせてください。

本書『悪夢のエレベーター』は木下半太の処女小説です。木下半太は関西を拠点に活躍する俳優・劇作家で、「チームＫＧＢ」という劇団を主宰しています。映画『パッチギ！』などにも出演しています。私は「ミーツ・リージョナル」という大阪に編集部がある雑誌で長らく書評を連載しておるのですが、ときどき木下半太が誌面に登場します。ファンキーなお兄ちゃんです。

以前、彼は木下良太という名前でした。なぜ良太が半太になったのか。スティーヴン・ハンターと関係があるのか、それとも妖怪ハンターか。大いなる謎です。良太より半太のほうが、ちょっとワルい感じがしていいかもしれません。

この小説は最初から順番に読んでいくことをおすすめします、と書きましたが、もしかしたらそれは木下半太が演劇人であることと関係あるかもしれません。芝居というのは脚本家や演出家が組み立てた順番に観ていくしかない芸術です。舞踊や音楽も同じですね。前に起きたことを受け継いで次のことが起きるように構成されています。流れは作者によって決められています。絵画や彫刻はそうじゃありませんね。どっから観てもいい。一応上下はありますが、絵を逆さにしてもいいんです。ヌード写真を逆さにして観ると、別の味わいがあります。たいていの小説はいちおう前から順番に読むようにできているけど、真ん中から読んだり結末から読んだりもできなくはない。でも、『悪夢のエレベーター』はプロローグから第一章、第二章と、順番に読んでいくといちばん楽しめる小説です。演劇的小説です。

『悪夢のエレベーター』はブログがきっかけで誕生しました。ただし本作はブログ連載とはべつに書き下ろされました。

エレベーター、怖いです。このエレベーターを小説の主な舞台にしたところに、木下半太の才能が見えます。これほど日常的でかつ怖いものはありません。つうか、日常的なものほど怖い。月へ行くロケットよりも、太平洋の下を深く潜る潜水艦よりも怖い。ロケットや潜水艦に乗ることはありませんから。

回転ドアも怖いけど、エレベーターも怖い。まあ、たしかにエスカレーターだって安心していられませんけどね。それに、階段なら大丈夫かというと、けっして油断はできません。1年ほど前、私は自宅の階段で転んで頭を打ちました。掃除をしていて、掃除機のホースを踏んでしまい、すべって転げ落ちたんですな。鉄の階段は痛かった。頭の中に星が飛び散るってホントです。一瞬、気が遠くなりましたし、大きなコブもできました。

でも階段の怖さは物理的な怖さであって、たとえばジェットコースターの怖さと同じようなものです。最近のジェットコースターは死と隣り合わせですから、そりゃ怖いですよ。でもジェットコースターは乗らなきゃいいし、階段だって十分気をつければいい。自分でコントロールできる怖さです。

ところがエレベーターはいくら気をつけたってむだです。私が動かしているわけじゃないんだから。機械が勝手に動いているんですから。設置したのも自分じゃないし。仕組みもよくわからないし。箱があって、ワイヤーがついてて、モーターが回ってそのワイヤーを巻き取っているんだろうなと、なんとなく想像しますが。しかも選択の余地がなかったりする。私が会員になっているスポーツクラブは、エレベーターしか使えません。非常階段はありますが、非常の時以外はスタッフしか使えません。こういう施設は意外と多いのではないでしょうか。5階以上を階段で上がるのはけっこう厳しいし。もし六本木ヒルズ森タワーの最上階まで階段で上がるとしたら、とちゅうで休憩したりお弁当食べたりしなきゃなりませんね。

閉じ込められたらどうしよう。私はエレベーターに乗るたびにこう考えます。エレベーターには非常ボタンがついています。「停止したときはこのボタンを押し続けてください」というようなことが書かれています。このような表示があるのは、非常停止がけっして珍しくはないからでしょう。

私は閉じ込められるのが怖い。これには理由があります。私はお腹が弱い。すぐ下痢をします。いまは生クリームとチーズのアレルギーらしく、食べ物にどちらかあるいは両方が入っていると、下痢が始まります。以前はビールがNG項目でした（いまはOKになって、平日でも昼間っから飲んでいます）。最近はいろんな食べ物に隠し味と称して生クリームが入っていて油断できません。いつだったか、大阪で仕事をした帰り、新幹線でビールを飲んで、1缶じゃとても飲み足りなくて、車内販売でウイスキーの水割りを頼んだのですが、おつまみにアイスクリームを食べたわけです。たしか名古屋をすぎたあたりでした。それが静岡駅を通過したころから腹痛が始まり、熱海ぐらいからトイレになんども行き、東京駅のトイレに長時間座るハメに陥りました。取材で銀座の某有名レストランのカレーを食べたときは、次に某有名宝石店の取材をしている途中でお腹の急降下が始まり、広報担当のきれいなお姉さんの説明をさえぎって「ト、トイレを貸してください！」と叫ぶことになってしまいました。アイスクリームやカレーに生クリームが隠されていたんですな。まったく安心できない世の中です。

そもそも生クリームやチーズが食べられなくなる前から、私は胃腸の弱い人間でした。寝不足だといっては下痢をし、風邪気味だといっては下痢をし、試験が近づけば下痢をし、運動会になれば下痢をし。デパートの店員だったころは客に理不尽なクレームをつけられると下痢してました。以来、クレーマーなんかみんな死ねばいいと思うようになりました。

慢性下痢腹の人間にとって最大の恐怖はトイレに行けない状況に陥ることです。調子イマイチのときはもちろんのこと、たとえ調子のいいときでもそうです。電車が怖いです。特に朝のラッシュ時の電車は。ぎゅうぎゅう詰めの車内で「いま電車が緊急停止して、急に下痢が襲ってきたらどうしよう」と考えてしまいます。お腹が丈夫な人は「アホか」と笑うかもしれませんが、マジ、真剣に考えてしまいます。下痢グソを漏らして猛烈なニオイを発しながら悶絶している自分を想像してしまうのです。

バスも苦手です。トイレがついてませんから。バス停にもトイレがありませんし。首都高も大嫌いです。パーキングエリアが少なすぎます。路側帯もないし。高速道路を走るときは、ちょっとでも渋滞の危険を感じたらいちばん左の車線に移ります。渋滞中にウンコをしたくなっても、すぐ路側帯に停めて脱糞できるからです。

こんな私にとってエレベーターが止まるというのは恐怖以外の何ものでもありません。まさに悪夢。

さて『悪夢のエレベーター』です。小川順二十八歳が目覚めると、故障して停止したエレベーターの中だった、というところから第一章が始まります。ドアは開かない。小川のほかには、うさんくさいスーツ姿の中年男、オタクっぽいやや若いカマキリのような男、そして年齢不詳の魔女のような女がいます。

小川が気を失っていたのは、エレベーターが急降下した衝撃で頭を打ったからだと三人は言います。気がつくとケータイもない、時計もない。しかも小川以外の三人も同様です。非常ボタンを押し続けても応答がない。閉じ込められてなおかつ外部と連絡できない環境にあるわけです。幸い小川は慢性下痢腹ではないようですが、しかし、急いで帰宅しなければならない事情がある。妻が産気づいたというのです。焦りまくる小川。

やがて三人の素性が少しずつ明らかにされていきます。「んなアホな」「ネタやろ、それ」と北海道生まれの私がインチキ関西弁で突っ込みを入れたくなるような素性です。でも「やっぱりなあ」と納得させられます。ところがですね、この「やっぱりなあ」がとんでもない形で裏切られて……。しかもどんでん返しが何度もある。よいエンターテインメントの書き手は偶然性をうまくコントロールしますが、木下半太のあやつりぶりはまったくもって見事です。

こんな半太に惚れたあなた、ぜひ最新作の『悪夢のドライブ』もお読みください。

――書評家

この作品は二〇〇六年七月幻冬舎メディアコンサルティングより刊行されたものを加筆・修正したものです。

幻冬舎文庫

●最新刊
ボーイズ・ビー
桂　望実

母親を亡くした川畑隼人、十二歳。ある日彼は、真っ赤なアルファロメオを乗りこなす偏屈ジジイと出会い、心を開いていく。衝突を通して成長していく二人の姿が胸を打つ感動のロングセラー。

●最新刊
織田信長の経営塾
北見昌朗

乱世の雄・信長が平成の若手経営者を一問一答で指導する。「社員にヤル気を起こさせる秘訣は?」「技術部長がライバル社に引き抜かれました!」生き残りの為の企業戦略を具体的に解説。

●最新刊
暗礁(上)(下)
黒川博行

疫病神・ヤクザの桑原が嗅ぎつけた新たなシノギ。建設コンサルタントの二宮を三たびたらし込み始めたのは、大手運送会社の裏金争奪戦だった。人気ハードボイルド巨編。想定外の興奮と結末!

●最新刊
Holly Flow
桜井亜美

恋人と別れヨーロッパへと向かったあたし。そこで出会ったキリストの彫像に似た男・ネオとのセックスがもたらしたのは……(「Holly Flow」)。愛と身体の新しい関係を痛切に描いた五編。

●最新刊
公事宿事件書留帳十二
比丘尼《びくに》茶碗
澤田ふじ子

黒茶碗を譲り受けた縁で、妙寿尼の窮地を救おうと立ち上がった田村次右衛門と宗琳。菊太郎らに相談することなく実行した計画は、はたして実を結ぶのか?　傑作時代小説、シリーズ第十二集。

悪《あく》夢《む》のエレベーター

木下《きのした》半太《はんた》

平成19年10月10日　初版発行
平成30年11月25日　29版発行

発行人――石原正康
編集人――菊地朱雅子
発行所――株式会社幻冬舎
〒151-0051東京都渋谷区千駄ヶ谷4-9-7
電話　03(5411)6222(営業)
　　　03(5411)6211(編集)
振替00120-8-767643
印刷・製本―株式会社　光邦
装丁者――高橋雅之

検印廃止

幻冬舎文庫

ISBN978-4-344-41023-7　C0193　き-21-1

幻冬舎ホームページアドレス　http://www.gentosha.co.jp/
この本に関するご意見・ご感想をメールでお寄せいただく場合は、
comment@gentosha.co.jpまで。